A UNIÃO COM O REIKI

Observação Importante

Os conceitos japoneses descritos neste livro não deverão alterar ou substituir sua filosofia de vida. Eles não estão apresentados como uma verdade, mas como um conteúdo para ajudá-lo a compreender o sistema criado por Usui Sensei em toda a sua gama espiritual, cultural e sociológica. Nesse contexto, tudo no Reiki faz sentido – e reflete uma imagem holística e integrada daquele que o pratica de coração.

Frank Arjava Petter

A União com o Reiki

Princípios Espirituais, Propósito, Desenvolvimento
e Práticas de Cura

Tradução
Susanna Berhorn

Título original: *Eins Mit Reiki – Liebe, Hingabe um Präsenz.*
Copyright © 2015 Windpferd Verlagsgesellschaft mbH, Oberstdorf.
Copyright da edição brasileira © 2020 Editora Pensamento-Cultrix Ltda.
Texto de acordo com as novas regras ortográficas da língua portuguesa.
1ª edição 2020.
Todos os direitos reservados. Nenhuma parte desta obra pode ser reproduzida ou usada de qualquer forma ou por qualquer meio, eletrônico ou mecânico, inclusive fotocópias, gravações ou sistema de armazenamento em banco de dados, sem permissão por escrito, exceto nos casos de trechos curtos citados em resenhas críticas ou artigos de revistas.

A Editora Pensamento não se responsabiliza por eventuais mudanças ocorridas nos endereços convencionais ou eletrônicos citados neste livro.

Editor: Adilson Silva Ramachandra
Gerente editorial: Roseli de S. Ferraz
Gerente de produção editorial: Indiara Faria Kayo
Preparação de originais: Karina Gercke
Revisão técnica: Monika Kölle
Revisão: Eulalia Fernandes e Ana Lucia Gonçalves
Editoração eletrônica: S2 Books

Dados Internacionais de Catalogação na Publicação (CIP)
(Câmara Brasileira do Livro, SP, Brasil)

Petter, Frank Arjava
    A união com o Reiki : princípios espirituais, propósito, desenvolvimento e práticas de cura / Frank Arjava Petter ; tradução Susanna Berhorn. -- 1. ed. -- São Paulo : Editora Pensamento Cultrix, 2021.

    Título original: Eins Mit Reiki : Liebe, Hingabe um Präsenz
    ISBN 978-85-315-2132-4

    1. Reiki (Sistema de cura) 2. Terapia alternativa I. Título.

21-65880   CDD-615.852

Índices para catálogo sistemático:
1. Reiki : Sistema de cura : Terapias alternativas 615.852

Cibele Maria Dias - Bibliotecária - CRB-8/9427

Direitos de tradução para a língua portuguesa adquiridos com exclusividade pela EDITORA PENSAMENTO-CULTRIX LTDA., que se reserva a propriedade literária desta tradução.
Rua Dr. Mário Vicente, 368 — 04270-000 — São Paulo, SP
Fone: (11) 2066-9000
http://www.editoracultrix.com.br
E-mail: atendimento@editoracultrix.com.br
Foi feito o depósito legal.

Dedicatória

Este livro é para você, você sabe ...

Sumário

Dedicatória	5
Agradecimentos	11
Prefácio	13
Prefácio à Edição Brasileira	15

1 Tudo Faz Parte Do Uno – Para Que, Então, Um Caminho Espiritual? — 17

2 A União Que Abrange Muitas Coisas – Uma Aproximação ao Reiki — 19

- A palavra Reiki — 21
- Reiki – aplicação prática — 28
- Reiki – origem e propósito — 29
- Reiki – desenvolvimento — 34

3 Valores e Cultura Japoneses — 41

- Tornar-se japonês — 42
- Planeta Japão — 44
- Características japonesas no cotidiano — 52
- O outro lado da moeda — 53

4 Xintoísmo e Budismo – O Fundamento Espiritual do Reiki — 57

- Xintoísmo — 57
- Budismo japonês — 58
- Teoria da reencarnação — 59
- Conceito Bodhisattva — 60
- Confucionismo — 61
- Taoismo — 62

Os três corpos	62
Outros conceitos espirituais	66
Psicologia budista	69
5 Iluminação – Afinal, O Que é Isso?	**73**
Reiki: iniciação – sintonização – Reiju	74
Rituais de iniciação, satori, iluminação	79
A ilusão do ego	81
Ação iluminada	82
6 O Caminho é a Meta	**85**
A corrida com obstáculos	85
Ser identificado	87
Atenção plena	92
Meditação	93
Amor, empatia e compaixão	102
Purificação	103
Vazio	105
Dizer sim	106
Impermanência	107
Não intencionalidade	109
Despertar	111
7 Filosofia de Tratamento – Os Princípios de Vida do Reiki	**113**
Gokai: introdução	115
Os cinco princípios	119
Finalização	127
Kotodama, palavras com significado espiritual	129
8 Prática de Tratamento – Byosen e a Atitude Correta	**133**
Colocar as mãos – "ligar" o reiki	134
Aceitar o fluxo livre	139
Byosen	142
Percepção e intuição refinadas	144

    Sei Heki Chiryo 146
    Enkaku reiki – tratamento a distância 148
9 Ensinar e Aprender Reiki 153
    Reiki japonês tradicional e as linhagens criadas depois
        de Takata Sensei 155
    O papel do professor 159
    O que aprendemos em um seminário de Reiki? 161
    Responsabilidade – de quem recebe, do praticante, do
        aluno e do professor 164

Epílogo 173
Livros Recomendados 175

Agradecimentos

Agradeço a você, que segura meu livro em suas mãos. Agradeço aos meus alunos, colegas e professores, especialmente a Chiyoko Yamaguchi, que dissipou minhas perguntas e dúvidas sobre Reiki como nuvens no céu. Agradeço à minha família, que me proporcionou bom humor e alegria de viver durante o projeto. Bhakti, Christina e Alexis, vocês são os meus melhores mestres. Obrigado, Silke Kleemann, por sua amizade e apoio profissional; sem você, este livro não existiria. Agradeço à Monika Jünemann, minha editora, por me proporcionar esta nova oportunidade de diálogo com meus leitores. Agradeço à equipe Windpferd pelo seu apoio. É sempre uma grande alegria.

Obrigado por este momento
– neste instante, ele é tudo que eu tenho.

Prefácio

A vida é um ciclo. Desde o nascimento até a morte, o caminho é desenhado e percorrido por entre nossas experiências de vida, às vezes, positivas, às vezes, apavorantes ou até mesmo entediantes. Depois, o carrossel para por um breve momento, a fim de que tenhamos tempo suficiente de, novamente, descer e subir, seguindo para a próxima viagem.

Se você olhar lá de cima, se estiver em uma posição fora da Terra, no Universo, verá uma minúscula estrela, na qual se desenrola a vida dos cidadãos do planeta, ensimesmados. É provável que cada ator pense que venha a ser um indivíduo separado do todo, agindo de acordo com esse pensamento. Mas, vista de cima, a Terra é um todo e tudo o que se encontra nela parece fazer parte do processo de crescimento de um único corpo que, nesta perspectiva (aqui de cima), nem aparenta ser tão grande. Cada pessoa, cada árvore, cada rocha e cada estrada são uma minúscula parte integrante desse corpo celeste. Você está unido à Terra, ao mundo, à fauna e à flora bem como a todas as suas culturas humanas e a tudo aquilo que faz vibrar o mundo: você é a união com o Reiki. Para compreender essa união, Usui Sensei apresentou ao mundo o seu método de cura, o método que é o conteúdo deste livro.

Existem muitos motivos para se escrever um livro. O mais óbvio é que o próprio autor busque clareza e espere que essa clareza o inspire ao escrever. Então, gostaria de compartilhar com você, caro leitor, a felicidade por tê-la encontrado.

Prefácio à Edição Brasileira

Sem você, caro leitor brasileiro, eu não estaria aqui e a vida seria bem entediante. Sentado, completamente sozinho, em algum lugar do planeta Terra, os cantos dos pássaros seriam inaudíveis. A sinfonia da vida necessita de belos instrumentos, músicos habilidosos e uma audiência silenciosa. Você e eu somos tudo isso. Tocamos, escutamos e nos tornamos cada som, cada sílaba dessa música divina. É bom estar aqui: você e eu, falando intimamente um com o outro, partilhando nosso amor comum pela humanidade e encontrando formas de espalhar o Reiki pelo mundo afora.

De acordo com a filosofia japonesa do xintoísmo, o ser humano é o mais evoluído de todos os seres vivos e é considerado o guardião do nosso lar – o planeta Terra. É nossa a responsabilidade de cuidarmos uns dos outros, dos animais, das plantas e do meio ambiente em geral, além de deixar este lugar mais bonito do que quando o encontramos. Uma das muitas maneiras de melhorar a vida aqui e agora é praticar a arte do Reiki, que pode nos ajudar a cumprir o nosso papel na Terra.

Agora, neste exato momento em que a conversa foi largamente trocada pela comunicação eletrônica, o toque foi substituído pelo *click* do mouse e o amor foi deixado de lado em favor do lucro e das vantagens, está mais do que na hora de se lembrar de simples valores humanos.

Um grande progresso aconteceu no Brasil com a inclusão de técnicas de curas tradicionais dentro da medicina convencional.

Vocês estão na frente do resto do mundo neste empenho. Por favor, carreguem essa tocha com orgulho e humildade ao mesmo tempo.

Deixe-nos, juntos, experimentar cada momento, avivando a existência com a ajuda dos nossos cinco sentidos: tato, visão, olfato, audição e paladar, e perceber o momento presente simplesmente estando aqui.

Isto é Reiki: encontrar-se exatamente aqui e agora, sabendo que não há nada a ser conquistado e lugar nenhum para ir.

Amigos: saiam e impressionem alguém.

Obrigado por me escutar,
seu amigo
Frank Arjava Petter

São Paulo, novembro de 2019.

1

Tudo Faz Parte do Uno — Então para que, um Caminho Espiritual?

Na verdade, não há mais nada a fazer. Se, neste momento, você estiver em sintonia consigo mesmo e com o que acontece ao seu redor, já chegou ao seu destino: ao momento presente.

A compreensão de que tudo está correto da maneira que se apresenta é tão simples, e pode ser percebida de forma tão cristalina e nítida, que a maioria de nós sente dificuldade para encarar o que é óbvio. Esse fato frustrante retrata o dilema humano com clareza inequívoca, pois quem não passou por essa experiência não pode compreender o trivial. Quem não compreende o óbvio se defende contra a liberdade com todos os seus emaranhados. A gaiola está aberta, mas estamos muito acostumados com a segurança das grades.

Em japonês, esse momento da compreensão da própria essência interna é denominado *Satori*. Antes de *Satori* ainda não somos seres humanos. Só depois disso tudo é que realmente começa.

Afastamo-nos de casa, fizemos uma grande viagem e agora queremos retornar ao nosso local de origem. Esse retorno é a viagem espiritual, o seu caminho... até você!

Se nesse caminho você usar Yoga, artes marciais, meditação ou Reiki, não faz diferença. A abadessa do templo Kurama me disse há alguns anos:

> "Não desista: Você nunca será feliz antes de ser iluminado! Não faça muitas coisas ao mesmo tempo e concentre-se em um objetivo. Imagine que esteja procurando um programa na televisão. Com ajuda de um controle remoto você passa pelos canais acessíveis e, assim que encontra um programa que goste, você continua assistindo, deixando de lado o controle remoto". "E como sabemos se encontramos o caminho certo?" – perguntei a ela – "É uma boa sensação", me respondeu com uma risada deliciosa. Essa é, portanto, a primeira pergunta...

Kansha – Gratidão

2
A União que Abrange Muitas Coisas – Uma Aproximação ao Reiki

Reiki é um método de cura japonês para o corpo e para o espírito. É utilizado como tratamento complementar para doenças físicas, no trabalho, em projetos psicoemocionais, bem como no equilíbrio da saúde, em todos os níveis. Na disciplina do Reiki, o desenvolvimento do caráter humano está em primeiro lugar. Nas palavras do fundador do Reiki no Japão, Mikao Usui, denominado Usui Sensei – honorável mestre –, o Reiki é a "arte misteriosa de convidar à felicidade e o remédio espiritual para todas as enfermidades".

Reiki é a energia que anima a vida, que estimula de forma integrada o poder de cura do próprio corpo e da mente do praticante de Reiki, assim como o do cliente. Uma vez que isso aconteça, a mente se enche de amor, alegria de viver e empatia, e, assim, a pessoa torna-se uma dádiva para o ambiente e para si mesma.

O Reiki foi desenvolvido a partir da experiência de iluminação de seu fundador, Mikao Usui. Assim como um poema ou uma canção de amor pode capturar o sentimento ou a poesia do momento e deverá ser experimentado pelo próprio leitor ou ouvinte, você pode reencontrar essa tranquilidade, a iluminação e a transcendência em cada momento do Reiki.

Após sua experiência no monte Kurama, em março de 1922, Usui Sensei voltou para casa e analisou as opções de como transmitir aquilo que presenciara aos seus alunos sem que eles tivessem de passar pelas experiências as quais vivera. O resultado, vivenciado em experiências práticas, levou ao que hoje conhecemos por Reiki.

Uma experiência espiritual não significa que, de repente, "saibamos tudo". Ela é, em primeiro lugar, uma experiência de silêncio e vazio. Após vários anos de prática, configurou-se o sistema ensinado por ele.

Como transmito a alguém o fato de que ele está ligado a forças cósmicas e é uma parte do todo absoluto, ou seja: que já é aquilo pelo qual ele anseia? Quando se tenta expressar isso em palavras, pode-se obter, na melhor das hipóteses, um meneio de cabeça em aprovação. "Tudo isso eu já sei", pensa o ouvinte, "mas se fosse tão fácil assim...".

Aqui, pois, começa o dilema do próprio ser humano. Sei que não preciso alcançar nada para ser eu, mas algo me impede de trilhar o caminho mais fácil.

O ensinamento do Reiki desenvolveu-se a partir desse desconhecimento consciente e esse é o tema deste livro. Vamos explorar, juntos, o que nos leva a colocar obstáculos diariamente em nosso caminho.

Em primeiro lugar, queremos nos aproximar do significado de Reiki em diferentes níveis de compreensão. Comecemos com o idioma.

A palavra Reiki

A palavra Reiki provém do chinês e é pronunciada *Lingqi*. No século V, foi incluída no japonês por meio da introdução dos caracteres chineses no idioma nipônico. Isso aconteceu aproximadamente junto com a introdução do budismo no Japão, por isso o idioma/escrita e a religião/filosofia estão intrinsecamente ligados. A primeira fonte chinesa na qual a palavra aparece nessa combinação de caracteres é o *Guanzi*, uma compilação de textos filosóficos elaborada por Liu Xiang no ano 26 a.C.

A palavra Reiki consiste em dois caracteres, os referidos *kanjis* (denominação japonesa para caracteres chineses). Esses caracteres foram criados a partir dos ideogramas originais que descrevem objetos, estados da natureza e, mais tarde, também conceitos filosóficos em forma de imagens. Inicialmente, os *kanjis* eram símbolos simples, compostos de poucos traços. Conceitos filosóficos foram descritos mediante a combinação de diversos *kanjis* simples. O resultado são caracteres complexos com uma grande quantidade de traços que não são dominados por todos os japoneses. Muitas vezes, os caracteres são simplificados, pois de outra forma não seriam lembrados, muito menos alguém conseguiria lê-los ou escrevê-los. No decorrer dos séculos, foram realizadas reformas ortográficas periódicas – a última em 1946 – para simplificar os *kanjis* complexos e para facilitar aos japoneses a sua escrita complicada. Para se ter uma ideia: no Ensino Fundamental do Japão, as crianças aprendem aproximadamente 1.000 *kanjis*; no Ensino Médio, são acrescentados mais 1.100 e, para a leitura de obras literárias, é necessária, no mínimo, uma compreensão passiva de aproximadamente 5.000 *kanjis*.

Rei

Um dos *kanjis* complexos é o caractere para *Rei*. Significa alma ou espírito, mas dependendo do contexto pode ser traduzido também como fantasma, oculto, humor ou atmosfera. Para deixar tudo ainda mais interessante, como em todo outro idioma, também foram alteradas as associações que os japoneses têm com determinadas palavras. A palavra *Rei*, nos tempos de Usui Sensei, era vinculada à "alma" ou ao "espírito". A alma, na época, era algo que interessava a muitas pessoas. Hoje em dia, a palavra alma já é meio trivial no Japão. Em vez disso, a palavra *Rei* é geralmente associada a "fantasma" e isso, para os não iniciados, pode parecer um pouco assustador.

O *kanji*, que na época de Usui Sensei ainda era utilizado e que preferencialmente pretendemos usar ainda hoje para descrever o nosso caminho, nasceu de três simples componentes que refletem, com propriedade, o significado da palavra alma.

Imagem do *Kanji Rei* com os símbolos que o compõem

O primeiro componente significa "chuva" (em japonês *ame*). No xintoísmo, parte-se do princípio de que os deuses moram no Céu e de que chegam por um curto período à Terra, hospedando-se em locais da natureza particularmente belos. Uma árvore grande e bonita, uma rocha no mar, uma fonte ou uma queda d'água são, para o xintoísta, sempre uma habitação própria aos deuses. O Céu é inalcançável para o homem e, por isso, tudo o que ocorre no Céu está ligado ao divino. As nuvens são consideradas mensageiras dos deuses e a chuva dentro delas, a bênção do Céu. Originalmente, os pássaros também eram considerados mensageiros dos deuses e, por isso, os xintoístas tradicionais não os comiam. Consideravam-se mensagens dos deuses as pegadas de pássaros encontradas na praia. Dizem que os *kanjis* foram desenvolvidos a partir das marcas das "garras de corvo". Assim, a chuva descreve a bênção divina que cai sobre a Terra.

Aqui, ela é recebida, entre outros, pelo ser humano, por meio da boca. Por isso, o segundo elemento do *kanji* para *Rei* é composto de três bocas. Essa parte da imagem é uma simplificação da escrita da palavra *utsuwa*, que significa "recipiente" assim como "corpo humano".

O corpo humano é, portanto, visto como o recipiente para a bênção divina, que ele recebe pela boca.

Para tudo isso, há, todavia, uma condição que precisa ser cumprida, antes de o ser humano poder realizar o seu propósito. Isso é descrito no terceiro elemento. É novamente uma escrita simplificada que significa *miko*, a "xamã feminina", "feiticeira" ou a "mulher médium". No xintoísmo tradicional, uma *miko* é uma jovem ainda antes da sua primeira menstruação, encontrada na sua cidade devido às suas habilidades psíquicas. Essa menina é levada ao santuário xintoísta da aldeia e treinada como vidente. Uma *miko* consegue compreender a linguagem dos deuses e traduzir os desejos dos deuses para aqueles que não são capazes. É esse o nosso objetivo no Reiki. Temos de aprender a não ouvir sempre só o pequeno EU, mas a nos afastarmos de nosso Ego e nos deixarmos conduzir por algo maior, pelo Céu. Ao aprender isso, o corpo se torna um recipiente para a bênção divina que é transmitida às outras pessoas. Isso é Reiki.

O conceito xintoísta da alma, denominado de *Rei* ou *Tamashii* será explicado com maior precisão no capítulo sobre xintoísmo e budismo (Capítulo 4).

Ki

A palavra *Ki* significa apenas energia e é utilizada com frequência nos dias de hoje. Assim, *Genki*, por exemplo, significa "com saúde, feliz, satisfeito", já *byoki* quer dizer "doente". *Tenki* significa literalmente "o *Ki* do Céu", é o termo usual para "tempo".

O *kanji* para *Ki* é composto de dois caracteres. O primeiro, *Yuge* ou *Kigamae*, significa "vapor" ou "éter" e está muitas vezes relacionado a outro *kanji* como algo que transporta alguma matéria sutil. O segundo *kanji*, Kome, significa "arroz". Como o arroz é um alimento básico, no Japão, ele significa energia.

Esse símbolo para energia já daria conteúdo suficiente para escrever alguns livros. Os linguistas, por sua vez, defendem abordagens distintas. Alguns acreditam que o *kanji* para arroz seria originalmente a imagem de uma panícula de arroz. Outros afirmam que os traços saindo da cruz central simbolizam o vapor do arroz cozido. Há aqueles ainda que explicam o símbolo da seguinte forma: no Japão, obviamente, não são utilizados números romanos; em vez disso, são empregados simples *kanjis*. Um é um traço horizontal, dois são dois traços horizontais etc. O símbolo para o arroz carrega em si todos os componentes do número 88. Essa é a quantidade de dias necessários ao arroz a fim de que esteja pronto para a colheita – desde a semeação até a refeição pronta. O número 88 tem mais um significado adicional. O 8 é o número da sorte no Japão e 88 é o máximo da sorte... Por isso, vamos continuar comendo arroz!

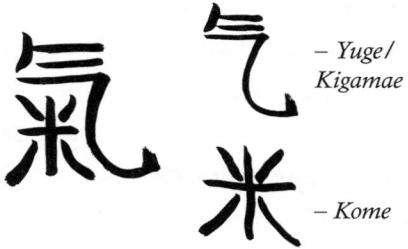

Imagem do *Kanji Ki* e os símbolos que o compõem

Reiki

Literalmente, portanto, o termo Reiki significa "energia da alma" ou "energia da mente". Uma vez que o termo Reiki já era empregado há 1.400 anos na língua e na cultura japonesas antes de ser conhecido como método de cura, Usui Sensei, inicialmente, denominou o seu método de *"Shin Kaizen Usui Reiki Ryoho"*. O primeiro *Shin* significa "coração/mente", o segundo "corpo"; *Kaizen* significa "melhora" e *Ryoho* significa "método de cura". Justamente pelo fato de o Reiki já ser conhecido Usui Sensei adicionou o seu próprio nome à denominação: "O Reiki de Usui" ou "O Reiki ensinado / na concepção de Usui". A denominação correta da autoria sempre teve grande importância no Japão, assim como a própria linha de tradição.

Em suma, significa: o método de cura de Reiki segundo Usui para melhorar o bem-estar do corpo e da alma.

Como essa denominação é muito comprida, com o tempo, foi sendo cada vez mais abreviada até que, no Ocidente, só restou a pequena expressão Reiki. No Japão, utiliza-se mais o termo *"Usui Reiki Ryoho"*.

Agora vamos falar do aspecto prático, da aplicação do Reiki como o conhecemos hoje.

Reiki – aplicação prática

Por que você coloca a mão na cabeça quando a bate? Por que a mãe dá um beijo e faz um carinho no joelho do filho que caiu? Por que seguramos o abdômen ou a cabeça quando temos dor?

A resposta é bem simples: o toque físico carinhoso, leve, ativa as forças de cura internas do ser humano, dos seres vivos. Uma vez que essa capacidade inerente ao ser humano de se curar está esquecida, mas não perdida, existem, em todas as culturas, métodos de cura que trazem essa capacidade original de volta à consciência. Um deles é o Reiki. Não importa o caminho que você queira trilhar, mais cedo ou mais tarde, ele o levará ao seu destino: não há pressa.

No plano físico, Reiki desintoxica o corpo. Não é, portanto, o Reiki que cura, mas o maior curador do mundo: o próprio corpo humano. Isso funciona da seguinte maneira: cada corpo humano ou animal ingere toxinas do seu ambiente que não podem ser metabolizadas. Essas são armazenadas em locais estratégicos do corpo e posteriormente eliminadas. Tais locais, em geral, são identificados como de "muito trânsito", ou seja, são partes do corpo que se movimentam bastante ou são muito movimentadas. Quando o corpo, por algum motivo, não tem energia suficiente para a desintoxicação, toxinas se acumulam e, uma hora ou outra, geram doenças. Durante uma sessão de Reiki, assim que o corpo recebe energia, ele agradece e logo utiliza essa energia para a desintoxicação.

Reiki não é, no entanto, apenas um método de cura física, mas um caminho espiritual, cujo efeito sobre a mente ainda será detalhado mais adiante.

Reiki – origem e propósito

Essa forma de terapia e trabalho energético veio a Usui Sensei sem que ele o tivesse buscado, enquanto jejuava no monte Kurama, ao norte de Kyoto. Assim ele descreve na única entrevista que nos foi transmitida (transcrita em

Isto é Reiki, página 71 a 77*). Nessa entrevista ele, afirma, ainda, que não fez nenhuma pesquisa específica para adquirir poderes de cura sobrenaturais.

Desse modo, o Reiki não havia sido aplicado ou perdido em nenhuma outra cultura, religião ou época. Foi recebido e desenvolvido pelo Usui Sensei, mas isso só foi possível porque o Reiki pressupõe a nossa capacidade inata. Estamos ligados a algo muito maior e só precisamos nos lembrar desse vínculo. Sob esse ponto de vista, o Reiki pertence à humanidade, a cada pessoa – a você!

Cada um pode aprender Reiki, independentemente da sua nacionalidade, origem ou classe social. Conhecimentos médicos não são imperativos, mas ajudam. Não é necessário conhecer a história do Reiki nem ter qualquer outro conhecimento para praticá-lo. O melhor seria não saber nada, assim a mente estaria aberta e livre de conceitos preconcebidos. O Reiki é muito simples, por isso pode até ser praticado por crianças, assim que elas chegam a uma idade na qual consigam colocar as mãos de forma consciente no próprio corpo e no dos outros. Depois das primeiras experiências e de ter recebido uma série de sessões, caso você sinta vontade de aprender Reiki, não existe nenhum pré-requisito para fazê-lo. Se mais tarde tiver

---

* Sugerimos a leitura de *Isto é Reiki*, de Frank Arjava Petter, publicado pela Editora Pensamento, São Paulo, 2013. (N.T.)

vontade de se aprofundar no assunto, um coração aberto e uma mente clara são de grande ajuda. E uma vez despertada a paixão pelo Reiki, você sentirá alegria ao buscar mais informações sobre a história e a prática. Ver livros recomendados na p. 175.

A religião não tem nenhuma importância no Reiki e, por isso, ele é aplicado no mundo inteiro por pessoas de diferentes origens e religiões. Na lápide colocada ao lado do túmulo de Usui Sensei, em Tóquio, consta que o Reiki curará o mundo e seus habitantes.

O Reiki se adapta facilmente a todas as religiões, culturas, sociedades e filosofias de vida. Em um manual publicado pela Koyama Sensei, uma das sucessoras Usui Sensei como Presidente da Sociedade *Usui*, ela escreveu, por ocasião dos cinquenta anos de existência da *Usui Reiki Ryoho Gakkai*, que o maior mérito de Usui Sensei foi não ter transformado o Reiki em religião ou seita, apesar de algumas dificuldades para praticá-lo, por motivos legais.

Já nos tempos de Usui Sensei a legislação médica só permitia a médicos licenciados a cura em público. Entre o final do século XVIII e início do XIX, a sociedade japonesa passou por um renascimento espiritual. No âmbito dessa reorientação, criou-se uma série de grupos espirituais e um grande número deles praticava a cura espiritual. Porém, como tal prática era proibida em público, a maioria dos líderes conhecidos desses grupos foi presa por violação da lei.

Havia duas possibilidades para se evitar tal situação: ou se fundava uma religião própria com a esperança de uma aprovação do Governo, ou se estabelecia uma associação. Usui Sensei optou pela segunda opção e a defendeu em uma explicação clara que eu gostaria de transcrever a seguir. Essa declaração era parte do material dos seus cursos, denominado *Kokai Denju*. Os originais podem ser vistos no Instituto *Jikiden Reiki*, em Kyoto, e o texto completo consta em meu livro *Isto é Reiki*. Os meus comentários foram adicionados entre parênteses.

Porque eu ensino publicamente o Método (Reiki)
– Declaração do fundador Mikao Usui –

> "Antigamente, era comum que uma pessoa que descobriu uma lei ou princípio original ou secreto o guardasse para si mesma, ou só o compartilhasse com seus descendentes. Esse segredo era, então, encarado como uma espécie de herança de vida para os descendentes. Não era transmitido às pessoas de fora. Mas se trata aqui de um hábito antiquado do século passado. (A

herança espiritual da maioria dos mestres contemporâneos de Usui era perpetuada por seus descendentes, mas, em muitos casos, os próprios fundadores não tinham condições de transmitir seus conhecimentos a um parente próximo.)

Em uma época como a nossa, o bem-estar da humanidade se baseia na cooperação entre as pessoas e no desejo de progresso social. Por isso, nunca permitirei que alguém tente monopolizar o Reiki para seu próprio uso! Nossa associação *Reiki Ryoho* é algo absolutamente original e não pode ser comparada a qualquer outra corrente (espiritualista) do mundo. (Além disso, o Reiki não foi "redescoberto", nem surgiu a partir de outras fontes.) Assim, quero ensinar esse método (livremente) para o público em geral e para o bem da humanidade. Qualquer pessoa tem o potencial de entrar em contato com a dimensão divina, o que resulta numa unidade entre corpo e alma. Grandes multidões podem, assim, (por meio do Reiki) experimentar a benção divina. Acima de tudo, nossa *Reiki Ryoho* é uma terapia original que se baseia na energia espiritual do Universo (o Reiki). Essa energia pode curar o ser humano, intensificando, assim, a paz de espírito e a alegria de viver. Hoje em dia, precisamos melhorar e reestruturar nossa vida para livrarmos nossos semelhantes da doença bem como do sofrimento intelectual e emocional. Foi por esse motivo que tomei a iniciativa de ensinar o método livremente e para qualquer interessado."

Reiki é o presente de Usui Sensei a todos nós e não há momento em que esse presente não seja recebido no mundo inteiro com amor e gratidão.

Reiki – desenvolvimento

A maneira como Usui Sensei desenvolveu o Reiki até o momento ainda é desconhecida, uma vez que até hoje não há nada por escrito de autoria dele mesmo sobre esse tema, nem há relatórios de seus alunos a respeito disso. As únicas fontes sobre as quais podemos nos fundamentar são a sua lápide, em Tóquio, e os seus materiais para cursos (ambos publicados em *Isto é Reiki*, p. 64 ss e p. 71 ss).

A seguir, estão apenas minhas hipóteses pessoais, com base nos conhecimentos dos fatos.

Usui Sensei teve pouco tempo para desenvolver o Reiki – em torno de quatro anos. Nesse período, ele iniciou mais de 2.000 pessoas. Na sua lápide, em Tóquio, consta que, após sua experiência no monte Kurama, voltou para casa e experimentou sua nova habilidade. Depois das boas experiências que teve com sua família, começou a trabalhar com amigos e conhecidos antes de trabalhar com o público.

A explicação que ele adotou para seu método Reiki era clara para seus contemporâneos: o ser humano tem a habilidade natural de incorporar as boas forças, energias cósmicas e repassá-las a outros. Durante o trabalho com seus clientes, ele descobriu o *Byosen* – a forma como o corpo reage ao fluxo do Reiki, movimentando, assim, o processo de cura (mais detalhes estão no capítulo sobre a prática de tratamento).

Shoden – o primeiro nível de ensino

Em seguida, ele deve ter elaborado seus ensinamentos passo a passo. A princípio, ele apenas tratou as pessoas. Tendo obtido efeitos tão bons, pretendia, como descrito acima, segundo *Kokai Denju*, romper com a antiga tradição e não preservar o segredo recebido somente para si e sua família. Ele começou a ensinar Reiki. Logo depois, encontrou uma possibilidade – *Reiju* – para ensinar o que aprendera, sem que os alunos tivessem de passar pelas experiências de vida e sofrimento que ele mesmo passou. Não sabemos como chegou ao ritual *Reiju*. Não sabemos se foi uma inspiração ou uma mistura inteligente de conhecimentos prévios que o ajudaram no desenvolvimento desse ritual. Ele deve ter experimentado diferentes alternativas. Com base em sua rica experiência de vida, de quase 57 anos, ele pôde recorrer a conhecimentos detalhados de sua própria cultura e espiritualidade.

Conforme a tradição da *Usui Reiki Ryoho Gakkai* (Associação de Reiki Usui) bem como do *Hayashi Reiki Kenkyukai* (Instituto Reiki – Hayashi), ele logo percebeu que seus clientes e alunos, depois de curados, retornavam com queixas iguais ou semelhantes. Na parte das perguntas e respostas dos seus textos sobre Reiki (ver *Isto é Reiki*, p. 72 ss) ele fala sobre esse assunto: "Primeiro temos de curar a alma". Para conseguir isso, ele deu a seus clientes e alunos o *Gokai*, os princípios de vida no Reiki (mais detalhes no Capítulo 7). Assim, seus alunos puderam experimentar o silêncio e a vivência da união com o Cosmos, integrados em cada tratamento de Reiki, sem bloqueios e comportamentos negativos.

Para Usui Sensei, o recebimento do *Reiju* e o tratamento, aparentemente, não eram suficientes. Ensinou a seus alunos os exercícios *Hatsurei Ho* (exercícios de percepção), a técnica *Kenyoku* (banho a seco) bem como o exercício de respiração *Joshin Kokyu Ho* (exercício de respiração para a limpeza da mente). Esses exercícios deveriam ser realizados no dia a dia adicionalmente à sua prática. Uma série de outras técnicas, em parte desenvolvidas por ele ou emprestadas e adaptadas do budismo e xintoísmo, resultaram no mosaico colorido que conhecemos hoje. Já descrevi essas técnicas detalhadamente no livro *Isto é Reiki*.

Para a estruturação dos graus do Reiki, Usui Sensei baseou-se nas artes marciais japonesas.

Okuden – nível avançado

Aos que já conseguiram adquirir extensas experiências com o grau *Shoden* e que realizaram o grau *Okuden* com ele, Usui ensinava o *Sei Heki Chiryo* para libertar a si e outros de padrões inadequados (mais detalhes na p. 146). Os símbolos do Reiki foram emprestados do xintoísmo e do budismo e um *Jumon* (uma espécie de fórmula mágica, veja p. 66) foi criado por ele mesmo. Assim, todos os seus conterrâneos, tanto os xintoístas quanto os budistas, estavam incluídos. O Reiki deveria ser para todos. Em sua lápide, está escrito que ele era conhecedor das artes esotéricas e um mestre na criação de *Jumon*. Os significados dos símbolos, bem como dos *Kotodama* ("palavras com significado espiritual", veja p. 130) utilizados no Reiki tradicional, apontam para a mesma direção: o ser humano afastou-se de seu estado original e é convidado a voltar para casa.

Ele já conhecia o *Enkaku Chiryo* (tratamento à distância, veja p. 148) na forma complexa do xintoísmo e de outros grupos ativos na época, que curavam com as mãos. Considerou que esse tratamento seria útil para o Reiki em uma forma bastante simplificada, de modo que qualquer pessoa pudesse aprender em minutos.

Shinpiden – ensinamento místico, grau de mestre

A próxima questão a ser resolvida era se os alunos que ele formou também conseguiriam ensinar seus próprios alunos – e a comprovação disso, a grande cartada de Usui Sensei, pode ser vista hoje no mundo inteiro.

Os conteúdos ensinados na formação de mestres objetivam também o reconhecimento da união. Em princípio, tudo é muito fácil: não há nada a fazer, nenhum caminho, nenhum objetivo, somente uma presença impressionantemente simples, que cada pessoa pode perceber aqui e agora.

Reiki depois de Usui Sensei

A expansão do Reiki no mundo inteiro, após o seu falecimento, era, provavelmente, o objetivo de Usui Sensei. Em 16 de janeiro de 1926, ele instituiu 20 dos seus alunos mais antigos como membros da diretoria da *Usui Reiki Ryoho Gakkai*, conferindo-lhes o *status* de *Dai Shihan*, que lhes permitia a formação de professores. Seu sucessor, Ushida Sensei, também foi escolhido por ele nesse momento. Poucos meses depois, veio a falecer de AVC isquêmico, durante um *Reiju* em Fukuyama, no distrito de Hiroshima.

Você, caro leitor, também está realizando o sonho de Usui Sensei, tratando outros, sendo tratado e levando o Reiki a outras pessoas. Sou muito grato a você por isso.

Jihi – compaixão

3

Valores e Cultura Japoneses

Na lápide de Usui Sensei, em Tóquio, está escrito que o Reiki vai curar o mundo e sua população. Uma afirmação corajosa para a divulgação do método completamente desconhecido fora do Japão, em 1927, quando o monumento foi erigido um ano após sua morte.

Usui Sensei, no entanto, provavelmente, já tinha a ideia de que, no futuro, o Reiki se tornaria valioso para todas as pessoas do planeta. Hoje, quase 94 anos após o seu falecimento, tal fato se comprova. Em todas as culturas, os amantes do Reiki, de todas as religiões, praticam os ensinamentos de Usui Sensei. O motivo para isso deve ser porque o Reiki é como a água, que se adapta de forma lúdica e fácil a qualquer recipiente.

A seguir, gostaria de lhe explicar mais sobre a cultura e a espiritualidade japonesas para que você possa entender como Usui Sensei pensava e por que seu método – o conhecido e amado Reiki – foi criado, estruturado e ensinado exatamente dessa forma. Não quero, porém, com as páginas seguintes, encorajá-lo a se tornar japonês. Isso só funciona quando se nasce no país, e de pais japoneses.

Tornar-se japonês

Quem pratica um método proveniente de outro país e outra cultura sempre corre o risco de adaptá-lo aos seus próprios costumes ou imitar o país de origem, seus habitantes, hábitos e tradições. Imagine uma comédia, na qual japoneses se comportem como gregos, alemães como italianos e americanos como chineses. Seria uma cena hilária: você não conseguiria parar de rir.

Você sempre se sentirá mais confortável quando puder ser exatamente como é!

A apropriação em qualquer disciplina espiritual, no início, não é errada, quando se trata do alcance de objetivos espirituais. O mestre dá um bom exemplo, o aluno segue até entender a mensagem. No Zen-budismo, por exemplo, o aluno sempre aprende primeiro a postura interior de Buda, ou de um Buda. Ele respira, senta-se, anda, trabalha, come e dorme como um Buda. Em algum momento, no entanto, ele chegará a uma encruzilhada, na qual deverá trilhar seu próprio caminho. Um lema Zen diz: "Se você encontrar Buda no caminho, mate-o". Mas até lá, o caminho é longo e vamos embarcar juntos nessa aventura japonesa.

Se quer aprender a dirigir, primeiro é necessário internalizar as regras de trânsito para não colocar em risco sua vida e a dos outros. Com o Reiki, o procedimento é o mesmo: se você tiver compreendido as regras básicas e adquirido experiências suficientes durante anos, se tiver incorporado o aprendizado, você poderá desprender-se de todas as regras. Mas, no início, precisa conhecê-las e segui-las. Depois que seu coração estiver purificado por intermédio do constante trabalho com o Reiki, se seu canal interno estiver limpo e sua alma liberada de estruturas egoístas, você estará livre.

A partir do momento em que isso acontecer, não existirá uma forma certa ou errada de praticar o Reiki, mas somente a sua própria – pressupondo que conheça as regras filosóficas bem como as práticas. Se você souber o que está fazendo e não estiver atirando no escuro, todas as suas dúvidas vão se dissipar e só assim poderá trabalhar de maneira eficaz. Um exemplo é a caligrafia japonesa: o treino meticuloso, durante décadas, da escrita de poucos traços e sequências de traços leva à maestria. Uma vez alcançada a maestria, o calígrafo pode usar propositalmente uma grafia (gramaticalmente) incorreta para reforçar a expressão artística.

Planeta Japão

O planeta Japão é um mundo distinto e toda pessoa que viaja ao Japão provavelmente chegará aos seus limites em um dado momento, pois a forma japonesa de pensar e de viver, muitas vezes, parece incompreensível para um estrangeiro. Para o leigo, o Japão é o país dos contrastes irreconciliáveis.

No santuário xintoísta, no canal de Shirakawa, no centro da zona de prostituição de Kyoto, uma dona de bordel reza por bons clientes, enquanto famílias passeiam com seus filhos trajando roupas chiques, em quimonos impecáveis. Na rua Takeshida, em Tóquio, estudantes desfilam após as aulas o seu *alter ego* em fantasias de *A Bela Adormecida* ou *Cinderela* ao lado de *Darth Vader* e *Príncipe Encantado*. Nas estações de metrô, em muitas partes do país, máquinas vendem aos seus clientes Coca-Cola, chá verde, cigarros, bebida alcoólica, chocolate e *lingerie* usada. Homens leem revistinhas pornô, em público, no caixa do supermercado, enquanto gangues de motoqueiros armados com tacos de beisebol dirigem no meio da noite pelas ruas, ameaçando outras pessoas no trânsito. Milhares de pessoas com ternos atravessam, no bairro de Shibuya, em Tóquio, o cruzamento mais impressionante do mundo, enquanto há o incrível silêncio de um templo

Zen. A neblina ao raiar do dia paira sobre um santuário xintoísta e um taxista encara uma hora de viagem só para lhe devolver gratuitamente em seu hotel a máquina fotográfica esquecida no carro. E, enquanto isso, o Monte Fuji eleva-se majestosamente sobre tudo o que acontece à sua sombra.

Apesar de toda a diversidade, a cultura japonesa é mantida por uma rede de valores que se baseiam primordialmente em uma consciência coletiva. Alguns desses conceitos milenares se desenvolveram no período Edo, de 1603 a 1868, quando o Japão estava praticamente separado do resto do mundo, formando um belíssimo coquetel japonês.

Como aprenderemos com o mestre Zen Shunryu Suzuki, mais adiante (p. 81), o eu individual no Japão é, na melhor das hipóteses, visto como um "patinho feio", alguém destoante. A vontade pessoal não é incentivada nem ensinada. Em princípio, é encarada como um mau costume (um caso para o *Sei Heki Chiryo*). Um ditado japonês diz: "O prego que se projeta para fora precisa ser novamente cravejado". O motivo para isso é que, no budismo, o eu individual é considerado uma ilusão que deverá ser desvendada e transcendida, de modo que cada gota se dissolva no mar do mundo. Você é o mundo. Por isso, o que importa é a união. A partir dessa visão, desenvolveu-se uma cortesia preciosa. Quem já esteve em uma loja de departamento japonesa, na abertura ou no fechamento da loja, testemunhará um evento inesquecível: todos os funcionários da loja fazem, juntos, uma reverência diante dos seus clientes!

No início da Idade Média, motivado pela situação geográfica, social e política, formou-se um conceito tipicamente japonês que permeia, como um fio condutor, toda a sociedade japonesa: *Uchi* (dentro, o grupo interno, em casa) e *Soto* (fora, o grupo externo).

Uchi e Soto

Na Idade Média, inúmeros senhores feudais dominavam o Japão e guerreavam entre si sem misericórdia. A única possibilidade de preservar sua vida era por meio da formação de grupos homogêneos, impenetráveis, cujo pertencimento era determinado pelo nascimento e/ou lealdade. Apesar do término do domínio feudal, esse sistema continua presente até hoje. Na família, na empresa, no clube de tênis, o que une os membros entre si não é divulgado ao público. Um bom exemplo para isso é a *Usui Reiki Ryoho Gakkai*. Mesmo aos familiares não se contava o que acontecia no grupo. Até hoje no Japão, os tratamentos de Reiki só são trocados entre os membros e não com pessoas de fora.

Hierarquia

Em toda a cultura japonesa, existe uma hierarquia rígida em todos os grupos, a qual não tem nada a ver com o valor do ser humano (somos todos iguais perante o Criador, os deuses, a natureza). A hierarquia japonesa, como nas demais culturas nativas, tem outra regra cronológica: quem veio primeiro, é mais importante. Na família, por exemplo, a irmã mais velha não chama o irmão pelo seu nome, mas pelo seu título "irmão mais novo". Na empresa, um funcionário continuará sendo sempre o mais antigo e o outro o mais novo. Também no Reiki tradicional japonês existe essa hierarquia cronológica, que é mantida apenas para estruturação. Existem alunos e professores em seus diferentes graus e o presidente como representante da escola.

Respeito

Isso gera uma consequência lógica: o superior é respeitado pela sua posição e, com isso, abordamos o tema central da cultura japonesa: respeito. Os mais velhos são valorizados e ouvidos, bem como o seu conselho (na maioria dos casos) é seguido. No Reiki, o *Sensei* é a conexão com o superior – com Reiki. Nele ou nela, incorporam-se os princípios de vida e todo o ensinamento do Reiki. O respeito resultante não é nenhum culto pessoal, mas um fato: aqui está alguém, no qual os princípios de vida se enraizaram, que os vive e os aplica em toda as áreas. O *Sensei* segue dando um bom exemplo.

A fim de conferir a essa comunidade harmoniosa a rigidez impenetrável, o respeito não é mostrado somente às pessoas, mas também às coisas, por menores e mais insignificantes que pareçam. Bons exemplos para isso são o enorme senso de estética e o amor ao detalhe que se mostra nos jardins japoneses e, no dia a dia, ao se embalarem presentes. No campo espiritual, temos de atentar apenas para a postura interior do Zen-budista perante os objetos do dia a dia: ele os trata com todo amor e carinho.

Na tradição do Reiki ocidental, houve a tentativa de substituir esse respeito por grandes somas de dinheiro, para obter a compreensão dos ocidentais mais materialistas. Assim não funciona: o respeito não é uma filosofia nem algo que possa ser imposto. Precisa ser cultivado cautelosamente, como uma semente bem protegida no coração de cada um, só podendo ser levada ao mundo quando a árvore estiver adulta.

Consideração

Para um japonês tradicional, a consideração com os outros é sempre um propósito natural. Os japoneses são geralmente corteses e sempre dispostos a facilitar a vida dos demais, a deixá-los o mais confortável possível. Com um sorriso generoso para o outro, por princípio, o japonês sempre concorda e, em circunstâncias normais, não diz diretamente "não" à outra pessoa. Sob o ponto de vista linguístico, não há nenhuma dificuldade em se dizer não e o japonês sabe fazer isso de maneira bem clara, mas, primeiramente, procura-se tratar o outro de forma positiva e lhe dar energia por meio de um *Kotodama* (veja p. 130) positivo, em vez de drenar a sua energia com uma palavra negativa (novamente um *Kotodama*).

Dignidade, respeito e honra

Dignidade, respeito e honra caminham juntos. Não somente a pessoa hierarquicamente superior é honrada e respeitada, mas todos aqueles que fazem parte do grupo – e todos nós pertencemos a algum grupo. O grupo que forma a base de tudo é a humanidade, depois a nacionalidade japonesa, em seguida a família e, ao final, vem todo o resto. Uma vez que o japonês, independentemente de ser xintoísta ou budista, não acredita em uma só vida, mas considera a reencarnação da essência divina no ser humano como um fato, ele vê, consciente ou inconscientemente, por trás de um ser humano, sempre a sua divindade. Isso é constantemente enfatizado nas reverências ao cumprimentar ou se despedir de uma pessoa.

Em relação ao Reiki, Chiyoko Sensei contava que Hayashi Sensei sempre reiterou que o ser humano seria o líder espiritual da existência e deveria se comportar como tal. Nos tempos dos Samurais – e, às vezes, até hoje –, esse sentimento de honra acima do normal era de grande importância. Se alguém corresse perigo de comprometer ou até mesmo perder esse sentido de honra, ele tirava a sua própria vida, não por medo das consequências, mas por dignidade. Um exemplo comovente do mundo Reiki é o suicídio de Hayashi Sensei, em 1940. Depois de ter retornado do Havaí, em 1938, ele foi obrigado pelo governo japonês, em 1940, como ex-oficial da marinha, a prestar informações sobre instalações militares e civis, uma vez que o ataque a Pearl Harbor, que seria realizado um ano depois, já estava sendo preparado.

Hayashi Sensei, durante sua estadia de seis meses no Havaí e, segundo suas próprias informações (jornal *Hawaii Hochi*, encontrado e traduzido por Naoko Hirano, Universidade de Waseda e Justin Stein, Universidade de Toronto), ensinou Reiki a 350 pessoas de origem japonesa, chinesa, havaiana e de etnia branca. No entanto, ele não estava disposto a arriscar a vida do país e das pessoas com as quais ele conviveu e que aprendeu a amar. Nessa situação precária, não podia recusar ajuda ao seu imperador e ao seu país nem colocar em risco a vida de pessoas inocentes. Não lhe restou outra opção digna. Para nós, praticantes do Reiki, esse é o exemplo de como devemos seguir em nossa vida pessoal. Integridade, honestidade e dignidade são as diretrizes para uma vida feliz e completa.

Senso de dever

O conceito japonês de dever (*Gyo*) será tratado mais adiante, no Capítulo 7, dentro do contexto dos princípios do Reiki.

Em resumo: corresponde à atitude de vida japonesa dedicar-se, com a máxima atenção e com presença, ao momento, àquilo que precisa ser feito – o que quer que isso seja em pormenores.

Confiança, paciência, lealdade, tempo

Uma vez que adquiriram confiança em você, os japoneses são bons amigos. A confiança em uma pessoa, que não faz parte do grupo interno dos cidadãos japoneses, precisa de tempo para crescer. É necessário adquirir a confiança de um japonês por meio de um comportamento ético, respeitoso, sem ganância, egoísmo e outras atitudes inferiores.

Para isso é preciso paciência, tempo e lealdade. A lealdade está sempre a serviço da consciência de grupo. É necessário fazer algo para que se possa fazer parte – nesse caso, como um não japonês, você deve se comportar de forma tal para que possa ser compreendido por um japonês.

Características japonesas no cotidiano

A característica, provavelmente, mais incomum dos japoneses, como povo, é que demonstram uma inocência quase infantil. Parecem sonhadores que vivem em um mundo muito diferente daquele das pessoas de outros grupos culturais.

Os japoneses pensam diferente daqueles que não são japoneses. Isso pode estar relacionado ao fato de a escrita japonesa consistir em imagens. Um japonês não pensa, portanto, em conceitos, mas em imagens. Por isso, nem pense em contar uma piada para quebrar o gelo no Japão. As piadas ocidentais estão, muitas vezes, relacionadas a sons que soam iguais ou semelhantes. O japonês, por sua vez, enquanto ouve, visualiza imagens que, nesse caso, não estão de forma alguma relacionadas entre si. No fim, você será o único a dar risada. Que mico!

Em princípio, os nossos semelhantes japoneses são quietos, reservados e corteses (a não ser após alguns copos de saquê, pois, depois disso, tudo é permitido). Eles são basicamente honestos e sinceros bem como, muitas vezes, explorados em viagens ao exterior. Roubos são incomuns no Japão e eles pertencem quase exclusivamente ao mundo dos bandidos japoneses, os *Yakuza*. Recomenda-se manter distância deles. Devido à classificação hierárquica da sociedade japonesa e à sua orientação ética, quase não há subculturas. Quem não consegue fazer parte, em razão de sua posição marginal, acaba optando pela única saída existente: um grupo de bandidos, também com um código de honra forte, mesmo que um pouco diferente.

Provavelmente, em consequência do longo isolamento durante o período Edo, o japonês, em geral, tem a sensação de que o mundo se encerra, por um lado, no mar japonês e, por outro, no Oceano Pacífico. Não existe mais nada além do enorme oceano. O que não faz parte do território japonês não tem legitimidade existencial no âmbito político ou de vizinhança. Até mesmo uma criança de pais japoneses, nascida no exterior, é um estrangeiro e não recebe um passaporte japonês com facilidade. Esse só é concedido aos que se tornam lutadores de sumô, o esporte nacional japonês.

O outro lado da moeda

Cada cultura tem o seu lado negativo. Assim também a japonesa – especialmente quando se trata das relações interpessoais. O consenso cultural obriga o indivíduo a uma hipocrisia e aceitação do desagrado que é quase assustadora. Não que isso seja muito diferente no Ocidente, mas não é tão evidente.

Filmes e programas de televisão ocidentais bem como a globalização pela internet e pelas mídias sociais, como o Facebook, estão abalando os fundamentos parcialmente desgastados da cultura japonesa. Nesse sentido, a geração jovem rebela-se contra as heranças do passado. Casamentos ainda são organizados pelos pais com ajuda de intermediários, divórcios estigmatizam a mulher divorciada (como se passassem a ter um xis na testa), que atesta o seu fracasso. Não ocorre, contudo, o mesmo com o homem divorciado. Para ele, é quase uma vantagem. Ainda hoje em dia não é possível uma convivência antes do casamento nas áreas rurais, além de manifestações de carinho em público serem condenadas.

Imagine o seguinte cenário: um casal japonês que vive no exterior com dois filhos visita os pais do marido no Japão. Saindo do aeroporto após um voo de longa distância, a sogra já amarra um avental na mulher de seu filho.

Chegando à casa deles, ela vai direto para a cozinha. A comida é servida aos homens e depois às crianças, as mulheres ficam com as sobras. Caso a nora queira ligar para sua própria família, precisa da autorização do sogro...

Especialmente as mulheres jovens tentam fugir dessa escravidão, aprendendo inglês, e tentam encontrar um marido estrangeiro, pois, com ele, tudo será diferente. No entanto, elas compreendem os estrangeiros tão pouco quanto os ocidentais a um japonês e o resultado nem sempre é bem-sucedido.

Infelizmente, a igualdade de direitos no Japão ainda é uma palavra pouco conhecida. Já com o nascimento da criança a situação é definida. Uma menina deixa a sua própria família no dia do casamento – é o dia mais importante de sua vida, o único em que ela exibe um papel principal. Depois disso, as coisas vão de mal a pior. Em muitas famílias, o casamento é um negócio. Os homens vão trabalhar e raramente encontram suas mulheres. Os trajetos para o trabalho são longos: duas horas de ida e mais duas de volta não são raros. Se, depois do trabalho, o chefe ainda decide tomar uma cerveja, o homem nem volta mais para casa e pernoita em um hotel-cápsula que pode ser alugado por hora. Muitos homens têm relacionamentos extraconjugais, os quais muitas vezes são de conhecimento das mulheres. Enquanto isso, as mulheres cuidam da casa e dos filhos bem como concedem ao marido uma mesada, garantindo para si uma situação "agradável". Em troca, elas aceitam o insustentável. Antes e durante um divórcio, os casos amorosos do marido são mantidos em sigilo, pois a mulher é ressarcida por ocasião do divórcio. Se o homem tiver uma amante, o divórcio sai mais caro.

A pressão nas escolas é quase desumana. Já no Ensino Fundamental I o tempo no colégio e em casa não é suficiente para dar conta da matéria, por isso todo aluno japonês frequenta aulas de reforço em uma das muitas escolas próprias para isso. Também no Japão o *bullying* é um problema cada vez mais presente e a taxa de suicídio de adolescentes japoneses é três vezes maior que em outros países industrializados. A dança entre Zen e Yen (iene) nem sempre é uma roda-viva repleta de alegrias.

肚

Hara – hara

4
Xintoísmo e Budismo – O Fundamento Espiritual do Reiki

Para se compreender o termo Reiki em toda sua profundidade e entender por que foi utilizado justamente esse termo para descrever mais detalhadamente o método Usui Sensei, deve-se mergulhar na cosmovisão japonesa com uma mente aberta.

Trata-se de uma surpreendente mistura entre xintoísmo, budismo e confucionismo. Na mente japonesa, não existe um ou outro, mas uma colorida mistura. A maioria dos japoneses são membros das duas religiões. O batizado é xintoísta, o casamento, por formalidade, cristão (ainda mais considerando que as fotos são uma linda lembrança) e o enterro é budista.

Xintoísmo

O xintoísmo não é visto como uma religião organizada, mas como uma concepção básica de vida que todo japonês já aprende no berço (com exceção daqueles que cresceram em um ambiente fortemente budista, por exemplo, em um templo). Tradicionalmente os japoneses são xintoístas.

O xintoísmo original é denominado de *"Koshinto"* e o xintoísmo oficial é denominado de *"Kokashinto".* O *koshinto* é uma concepção de vida xamã, comparável à dos nativos norte-americanos, segundo a qual não há um Deus em forma humana. O *Kokashinto* foi constituído por motivos políticos, no início do período *Meiji* (1868-1912), para apoiar o governo do jovem imperador *Meiji,* reverenciado como encarnação da maior deusa xintoísta *Amaterasu Omikami.* Desse modo, pretendia-se evitar que ele – como filho de Deus – fosse destituído e assassinado.

Ainda hoje, em todo o país, muitos santuários xintoístas testemunham o profundo enraizamento dessa crença original. Esses, em parte, vivem pacificamente, lado a lado dos templos budistas. Especialmente durante as comemorações tradicionais (*matsuri*), muitas vezes relacionadas às mudanças das estações do ano, que despertam para a vida. Também as crianças são levadas para rituais com os sacerdotes xintoístas, após o nascimento e em determinadas fases de passagem.

Budismo japonês

O budismo veio da Índia, atravessando o Himalaia até a China e de lá para o Japão. O budismo chinês é quase exclusivamente Budismo *Mahayana*, com exceção de minorias nas áreas fronteiriças ao sudoeste da China, onde cultuam o Budismo Teravada. Uma das características do budismo é que ele se adapta às pessoas e culturas onde se instala. Por isso o budismo japonês difere do budismo em outros países e, mesmo assim, pertence ao Budismo Mahayana. As maiores escolas são o budismo do *"Jodo Shu"* (a comunidade religiosa do Usui Sensei) e *Jodo Shinshu*, Budismo *Nichiren*, Budismo *Tendai*, Budismo *Shingon* e Zen-budismo.

Teoria da reencarnação

As duas filosofias japonesas creem que a reencarnação seja um fato. Para aqueles de nós que creem em uma única vida, essa crença é um fato indiscutível, assim como as repetidas vidas é algo indiscutível para os que acreditam em reencarnação.

A existência já é preparada na forma humana muito antes da primeira encarnação. Em nosso planeta, a evolução começa no reino dos minerais. Depois, a vida continua a sua evolução no reino das plantas. O próximo elo da corrente dos eventos é o reino dos animais. Só depois chegamos ao reino humano.

No xintoísmo, fala-se em 180 reencarnações humanas; no budismo, em milhões. O ser humano nasce, vive e morre, reencarna e continua realizando esse processo até entender a si mesmo e o sentido da vida.

O ciclo da evolução humana, segundo a concepção budista, termina com a liberação do sofrimento, na iluminação. Após a iluminação e a morte física, a alma (ou mente, essência, centelha divina) é conduzida à Terra Pura pelo Buda Amida. A Terra Pura (em japonês *Jodo*) é a outra realidade na qual dominam as melhores condições para a iluminação. Se o homem morrer na Terra Pura, reencarna automaticamente iluminado e desaparece. Com isso, a evolução chega ao seu pico, a condição humana é cumprida – e assim ela termina. Vamos pensar que após o término do Ensino Fundamental não há motivo para retornar – não por que foi ruim: simplesmente porque terminou...

Conceito Bodhisattva

O conceito básico do budismo *Mahayana* japonês é o conceito do *Bodhisattva* (em sânscrito, "aquele, cujo objetivo é a iluminação, que está a caminho do despertar"). Um *Bodhisattva* é alguém que adia sua própria iluminação para o bem da humanidade. Ele presta o juramento *Bodhisattva*, que diz que só entrará na Terra Pura, em cuja fronteira se encontra, depois que todas as pessoas forem redimidas do seu sofrimento. A citação é: "Que eu ajude todos os seres a encontrarem a iluminação e que eu, como último ser humano, encontre a iluminação depois que todos os seres a tenham encontrado, tal como o *Bodhisattva Avalokiteshvara*".

Confucionismo

Os fundamentos do confucionismo refletem-se ainda hoje nos valores básicos da sociedade japonesa. O núcleo é a família, como unidade básica, que não deixa nada ser levado para fora desse grupo. O fundamento da família são os pais, que nunca são questionados. O bem da comunidade familiar é superior ao bem do indivíduo. Isso resulta em uma estrutura cronológica rígida que fortalece a sociedade em todos os níveis. Os mais velhos são respeitados, ouvidos e honrados, enquanto os jovens ouvem e colocam em prática as sugestões dos idosos. No próximo plano, a escola e a educação têm uma organização semelhante e de extremo valor. Existem entre 750 e 800 universidades nas quais, anualmente, estudam em torno de 3 milhões de pessoas.

Esse ensinamento foi desenvolvido em 500 a.C., na China, por Confúcio. Expandiu-se de lá em direção a terras asiáticas e continua influenciando muitas sociedades.

No cerne, está sempre o bem comum e uma prática de vida ética. A medida correta em decisões e ações é considerada a maior virtude.

Taoismo

O taoismo encontra-se na cultura japonesa no Zen-budismo, nos seus conceitos e na sua arte. O Zen foi criado na China, originalmente a partir do casamento entre o taoismo e o budismo, no século V ou VI. O fundador e o primeiro patriarca do Zen-budismo, *Bodhidharma*, um monge budista indiano é, ainda hoje, venerado no Japão.

Ao lado do budismo e do confucionismo, o taoismo é o terceiro dos "três ensinamentos" tradicionais chineses. Da sua cosmologia provém, por exemplo, os conhecidos símbolos do *Yin* e do *Yang*, bem como o ensinamento do *Qi* e as cinco fases da energia. Os textos mundialmente mais conhecidos são os *Tao-Te King,* de Lao-Tsé, e o *I Ching, o Livro das Mutações*. O ideal desse ensinamento é a adaptabilidade no decorrer das coisas ("acompanhar") com espontaneidade.

Os três corpos

Em cada vida há determinadas lições para se aprender, as quais só podem ser aprendidas no Planeta Terra, e – assim acreditam os japoneses – exclusivamente na forma humana. A fim de que se possa viver e sobreviver na Terra, o ser humano precisa de três corpos que possuem diferentes densidades e matérias sutis.

O corpo físico

O corpo de matéria mais rudimentar dos três é o nosso corpo físico. É o nosso templo descartável, de tempo limitado, que devemos tratar muito bem, enquanto o recebemos emprestado do Universo. Ele, sozinho, não tem capacidade de sobreviver e, como já disse, tem data de validade. Depois de terminado o seu tempo nessa vida, ele para de funcionar por completo e morre dentro de 24 horas.

Os corpos etéreos

A próxima etapa é mais sutil, trata-se dos corpos etéreos – em japonês denominados de *Rei I* – nossa roupagem espiritual. São tudo o que no mundo ocidental denominamos de razão, sentimentos, emoção, lembranças, desejos, sentidos, caráter, individualidade etc. Isso também tem um fim quando o corpo físico morre. No processo de morte, no entanto, eles se extinguem mais lentamente do que o corpo físico. Segundo a filosofia budista, são necessários 49 dias para que esses se desintegrem por completo. Os xintoístas falam em 50 dias, e os muçulmanos e os cristãos ortodoxos acreditam em 40 dias antes de a alma se libertar e ascender.

A alma/mente/essência

A alma ou a mente, a essência ou a luz divina – não importa como é denominada – é o nosso "corpo" de matéria mais sutil e imortal. A alma não consegue ficar na Terra sem o peso do corpo físico e dos corpos etéreos e ascende quando os corpos etéreos, após a morte, estiverem completamente desintegrados. Nesse momento, a alma "retorna para casa", como se diz no Japão, dando um tempo para se recuperar dos esforços da vivência, da vida.

Depois que a alma descansou, começa a procurar um casal de pais adequados.

Uma alma jovem que, no ciclo da evolução do processo de encarnação, na viagem para a iluminação, ainda não esteja muito avançada, possui inúmeras possibilidades de reencarnação, uma vez que as lições a serem aprendidas são possíveis na convivência com muitos pais e suas situações de vida. Uma alma velha, antiga, ou seja, uma mais evoluída, precisa de mais tempo para encontrar pais adequados, também evoluídos. Quando uma alma encontra o que procura, no terceiro mês da gestação, ela se aninha na cabeça do embrião escolhido.

O xintoísmo acredita que os deuses colocam a alma no centro da cabeça, ou melhor, eles a sopram na cabeça. A alma não é considerada algo pessoal, ela é o que todos nós partilhamos e o que nos une ao Cosmos por um canal invisível. Essa parte da alma partilhada é ancorada pelos deuses, gerando vida em um ponto, traçando-se uma linha reta entre o terceiro olho e o chakra da coroa. De lá, é ligada à alma cósmica. Fisiologicamente essa área do corpo corresponde à glândula pineal que, segundo conhecimentos médicos mais avançados, emite luz. Essa luz pode ser percebida quando a consciência sente a ligação da alma com o cosmos.

Em japonês, a alma é denominada de *Tamashii*, mas o *kanji* também pode ser lido como *Rei*. O símbolo para *Tamashii* corresponde ao *Rei* em Reiki (ver p. 23).

Na entrevista com Usui Sensei, concedida a seus alunos como material didático, foi-lhe feita a seguinte pergunta: Qualquer pessoa poderia praticar o Reiki ou apenas pessoas altamente desenvolvidas espiritualmente poderiam aprender Reiki? Usui Sensei respondeu que qualquer pessoa cuja alma tenha sido inspirada pelos deuses pode praticar Reiki.

Nosso corpo mais sutil, a alma, funciona como um disco rígido de um computador: absorve tudo o que acontece na vida e armazena as informações no sistema operacional. A alma não pensa em dualidades como bom e ruim, bem e mal, mas ela se lembra de tudo. A soma das lembranças de todas as vidas controla os comportamentos das pessoas, mas, como nosso cérebro não está apto a se lembrar de todas as suas vidas anteriores com as suas "personalidades" múltiplas e, ao mesmo tempo, funcionar corretamente, o passado é armazenado no inconsciente. De lá ele determina os nossos pensamentos, sentimentos e ações sem que nós tenhamos consciência disso.

Outros conceitos espirituais

Para uma compreensão mais aprofundada, quero esclarecer, ainda, os seguintes conceitos japoneses.

Shirushi, Jumon

O termo japonês *Shirushi* significa "símbolo". A força de um símbolo está na sua forma geométrica. No Reiki, os nossos *Shirushi* representam algo que é despertado ou aclamado quando o símbolo é escrito no espaço ou, durante o tratamento, no corpo. Não precisa, portanto, ser pronunciado. Quando, por exemplo, o sacerdote cristão-ortodoxo, no batizado, desenha a cruz sobre o terceiro olho das crianças, ele não precisa dizer "Jesus, Jesus, Jesus".

O termo japonês *Jumon* significa "fórmula mágica" ou "mantra". Um *Jumon*, em tese, também pode ter um significado negativo: maldição. No entanto, no Reiki, tudo é positivo. Um *Jumon*, no Budismo Esotérico, é composto de vários *kanjis*, para obter um determinado efeito energético. É escrito e, ao mesmo tempo, falado, para desenvolver sua força.

Hara, o centro do corpo

O termo japonês *Hara* significa "abdômen", mas representa um conceito que vai muito além do físico, alcançando o Céu. Também sobre esse tema poderíamos escrever um livro inteiro – mas esse felizmente já existe. Se você quiser saber mais sobre o tema *Hara*, recomendo o excelente livro *Hara*,* de Karlfried Graf Dürckheim.

Na cultura japonesa, o abdômen não é somente o centro do nosso corpo, mas também o principal centro espiritual. No Reiki, acreditamos que a energia cósmica entra no corpo por um canal invisível no *Hyakue*, situado

---

* *Hara – O Centro Vital do Homem*, publicado pela Editora Pensamento, são Paulo, 1991. (fora de catálogo)

no chakra da coroa. De lá, desce para o *Tanden* inferior, aproximadamente dois a três dedos abaixo do umbigo. Lá, o reservatório energético se enche no abdômen inferior, proporcionando resistência, força e integridade não só física, mas também mental. Somente quando o *Hara* for bem nutrido, o coração, que está localizado acima, pode se desenvolver bem, se abrir e alegrar todos ao redor e todo o planeta. Esse é o motivo pelo qual muitas estátuas de Buda tem uma barriga redonda, um indício do *Hara* forte e bem desenvolvido do Buda.

Kokoro, coração/mente

Já sabemos que Descartes não era japonês. Considerando sua falta de influência sobre a cultura japonesa, desenvolveu-se, no Japão, outro conceito de coração e cabeça, de pensamento e sentimento. A palavra "coração", traduzida no dicionário por *Kokoro*, na verdade, não significa apenas coração, porém, a unidade de coração e razão. O japonês pensa e sente com o coração.

Ten to Chi, Céu e Terra

Um conceito do taoismo muito recorrente no Reiki é o objetivo de unir o Céu e a Terra dentro de si. Somente quando uma árvore está bem enraizada no solo, pode crescer para o Céu. Esse conceito tem profundas consequências para a espiritualidade japonesa.

Alguém perguntou a um mestre Zen o que ele fez antes de sua Iluminação. Ele respondeu: "Cortei lenha, busquei água no poço e tive relações com minha esposa". Em seguida, foi perguntado o que ele vinha fazendo desde então. Ele respondeu: "Cortei lenha, busquei água no poço e tive relações com minha esposa".

A compreensão japonesa de espiritualidade aplicada é pragmática. Assim, a vida laica não é negligenciada, mesmo no caso de profunda atividade espiritual.

Psicologia budista

O Buda histórico foi um grande psicólogo. A sua psicologia difere, no entanto, da psicologia ocidental, ao focar no que é bom e saudável na pessoa, em vez de buscar motivos para o sofrimento nas profundezas do subconsciente. Ela distingue duas formas de sofrimento:

1. O sofrimento evitável.
2. O sofrimento inevitável.

Aprende-se a evitar o evitável e a se entregar com amor, tranquilidade e gratidão ao inevitável.

Todos nós somos doentes incuráveis. O que consideramos a nossa personalidade, nossa identidade, nosso ego, nunca é ou será curado. A palavra "cura" significa ainda: integral, pleno, completo e são. Por isso, ser saudável significa estar em união com o Todo, o Universo, Deus e o mundo.

O que é o nosso ego, no entanto, a não ser um constructo separado do Todo? Quanto mais você tenta curá-lo, mais ele se torna autônomo. Gira exclusivamente em torno de si e busca a autorrealização. A doença e a cura são uma coisa só.

Vamos, agora, no final deste capítulo, analisar mais detalhadamente uma doença que conhecemos bem. Gostaria de iniciar essa jornada com uma pergunta. Imagine que o seu médico, após um exame, apresente o seguinte diagnóstico: você é completamente saudável e imortal. No momento em que ouve isso, você sabe que é absurdo... nada poderia estar tão longe da verdade.

Qualquer garantia de saúde e longevidade seria completamente infundada e fatal para a postura e estilo de vida de quem pensasse assim. A pessoa deixaria para viver amanhã. E o tal amanhã nunca chega.

Saúde e longevidade podem se transformar no contrário em segundos. A doença se transforma em saúde e vice-versa: uma vez que ambos são o extremo oposto do espectro.

Tente olhar para o céu numa noite estrelada e se imagine compreendendo as leis que regem o Universo. Mas não ria...

O fato é que não sabemos nada, absolutamente nada. Nem o atleta, nem o cientista ou um empresário sabem qualquer coisa. A única coisa que fazemos constantemente é nos vangloriarmos de que sabemos algo.

Por isso, o mestre Zen Kodo Sawaki recomenda viver como um morto. Ele ensina que o seu corpo não lhe pertence, mas, sim, ao Universo. Você o pegou emprestado por um tempo e deverá devolvê-lo quando o tempo passar. Ele se decompõe e voltará a ser a terra, que nutre outros seres vivos.

雲

Kumo – nuvem

5
Iluminação – Afinal, o que É Isso?

Usui Sensei teve a oportunidade de viver a união com o Cosmos, em março de 1922, no monte Kurama, sem a influência direta de um mestre. Em toda sua vida se voltou para esse momento, mas não podemos não podemos esquecer que, nos três anos anteriores, ele passara em um templo Zen, em Kyoto, buscando a Iluminação. A vida em um templo Zen não é nada fácil e não é adequada para proporcionar um retiro a uma pessoa que não esteja bem consigo mesma. No templo, você é confrontado com você mesmo a cada minuto. Longas horas de meditação, limpezas infinitas em pisos de madeira já limpos, o canto monótono dos mantras, caligrafia e jardinagem são usados para destruir o ego. E isso dói.

Mesmo que a Iluminação aconteça de repente, escapando assim da ação do tempo, ela é precedida de uma longa vida de trabalho interior – às vezes, até mesmo de muitas vidas anteriores.

Teoricamente, também é possível a cada um de nós a prática do Reiki sem a iniciação a ele. A condição prévia, contudo, não é nada fácil: quem de nós pode afirmar que está consciente da união com o Cosmos? Estamos entorpecidos e nos esquecemos do nosso estado natural. Por esse motivo, precisamos de alguém que nos desperte desse cochilo e nos mostre nossa riqueza interior. No caso, essa pessoa é o professor de Reiki ou outro mestre espiritual que saiba o que está fazendo.

Reiki: iniciação – sintonização – Reiju

Na Alemanha, no cenário do Reiki, são empregados para esse ato dois termos: iniciação e sintonização. Ambos, segundo a compreensão japonesa, não são completamente exatos, por isso gostaria de lhe apresentar os termos em japonês que utilizarei também no texto a seguir.

No Japão, são utilizados dois termos para a iniciação ao Reiki. O primeiro é *Denju* e significa "ser iniciado por um mestre (espiritual) em um ensino (secreto)". *Denju*, portanto, significa a soma e a união da:

1. Teoria do Reiki.
2. Prática do Reiki.
3. Perguntas e respostas/Intercâmbio entre professor e aluno.

4. O papel exemplar do professor.
5. Interação e comunhão.
6. Transferência de energia/sintonização.

A palavra japonesa para essa sintonização é *Reiju*. Na tradução literal, *Rei* significa – como explicado antes – alma, mente. A palavra *Ju* significa "dar", no sentido de ativar. A palavra sintonização pressupõe um conflito, cujo significado não existe em japonês. O ser humano está certo como ele é, precisamente sintonizado e preparado para se abrir ao Cosmos assim que se lembrar da sua natureza de "recipiente" e distribuidor das forças cósmicas.

O núcleo da alma, *Rei* ou *Tamashii*, é ativado pelo *Reiju*. Não se abre e não se sintoniza nem um Canal ou um Chakra. Tudo já está no seu devido lugar. Você é perfeito, uma imagem de Deus, da natureza. Durante o *Reiju* é realizada apenas a limpeza de obstruções do canal energético de quem passa pela iniciação. O mestre de Reiki não é nada mais que um "limpador de chaminé" e o *Reiju* é a limpeza. Não existe, portanto, motivo algum para arrogância e superioridade.

Em algumas escolas de Reiki ocidentais, ensina-se que os símbolos dessa prática são introduzidos na aura durante a iniciação e que, então, só podem ser usados por uma pessoa iniciada. Ensina-se também que a iniciação ao Reiki II aumenta a energia e, em algumas escolas, talvez até o período de tratamento seja reduzido – mais poder, menos tempo. As iniciações ao Reiki I, II e III são diferentes, pois, supostamente, o Reiki torna-se cada vez melhor, mais forte e mais sutil. Nós ocidentais sempre queremos tudo agora, para já, pois temos medo de estarmos perdendo tempo de vida: o relógio não para de andar...

No Japão, os *Reiju* são sempre idênticos. A experiência demonstra que um aluno não aprende por meio do *Reiju*, mas, sim, por meio de seu próprio trabalho. Nas palavras de Koyama Sensei: "Se você praticar Reiki com a mesma intensidade e devoção como Usui Sensei, que subiu no monte Kurama para jejuar até à beira da morte e renascer, você também aprende. Mas se você for preguiçoso, você não aprende". (Complementando com as minhas próprias palavras: mesmo que recebesse uma iniciação todos os dias!)

Nós, humanos, nascemos com um canal interno perfeitamente aberto. Depois, a "educação" acontece. Aprendemos com o tempo a nos tornarmos cada vez mais egoístas e, na medida em que o pensamento, sentimento e a ação egocêntrica aumentam, acumula-se sujeira nesse canal interno.

Existe também um aspecto adicional em nosso "tornar-se adulto": aprendemos a pensar de forma racional e perdemos a ingenuidade infantil que nos permite sentir o invisível, sem poder ou precisar explicá-lo. Essa pessoa "bem-educada" precisa do *Reiju* para relembrar o que ele é em seu estado original.

Você certamente se lembra do *kanji* para Reiki. A parte inferior do *kanji* para *Rei* é *miko* e descreve "mulher médium", "xamã". É o símbolo da pessoa que reuniu o Céu e a Terra em si e que não ouve o ego, mas a voz dos deuses. *Miko* simboliza uma pessoa (homem ou mulher) que não age por causa de dinheiro, poder ou cobiça sexual, mas que está ligada a algo maior, que orienta todas as suas ações.

O maior desafio para um mestre espiritual é transmitir a própria experiência aos seus alunos, para que entendam o que ele entende e consigam fazer o que ele consegue. A maioria dos mestres espirituais e contemporâneos de Usui Sensei não conseguia fazer isso e os seus métodos acabavam desaparecendo ou se transformavam em algo vazio, no qual o conhecimento esotérico era substituído por um ensino exotérico. Segundo Tadao Yamaguchi, um grande amigo meu e filho mais novo da minha professora Chiyoko Yamaguchi, esse dom representa o gênio de Usui Sensei. Ele sabia compartilhar sua sabedoria e transcendência com todos que queriam.

O resultado da sua busca é Reiki e uma parte do Reiki, o chamado para reconhecer o seu estado natural, são os *Reiju*. Como um reconhecimento único geralmente não é suficiente para alinhar essa compreensão, o *Reiju* é repetido, se possível – segundo Hayashi Sensei –, uma vez ao mês. O motivo para isso não é porque uma vez não seria suficiente, mas é nosso estado de dormência que precisa ser incitado até em algum momento, a casca se abrir... assim, o ser humano renasce.

Durante o *Reiju*, o receptor deverá sentar-se com os olhos fechados, em uma sala escura, com as mãos em prece na frente do coração, alinhando-se com o que acontece em seu interior. Kimiko Koyama Sensei, uma das ex-presidentes da *Usui Reiki Ryoho Gakkai*, recomendou aos seus alunos que olhassem com os olhos fechados para as pontas dos seus dedos durante o *Reiju*. Quando isso acontece na ausência de luz artificial e natural, o iniciado mergulha na luz da alma que o transforma. O objetivo do *Reiju* não é tornar o aluno um iluminado – ele lhe permite uma visão de sua natureza de Buda.

Rituais de iniciação, satori, iluminação

Em todas as culturas asiáticas, as escolas espirituais realizam rituais de iniciação, nas quais o professor, o mestre toca o aluno em determinadas partes do corpo – muitas vezes entre as sobrancelhas – para lhe transmitir uma breve sensação de silêncio, paz interna e comunhão.

Satori

Como já mencionado no início, a noção da União, no Japão, é denominada de *Satori*. Um *Satori* é uma experiência de tempo limitado que permite ao discípulo uma visão que lhe proporciona coragem e força para continuar trabalhando em si até que, em algum momento, chegue à iluminação.

O *Reiju* é também um ritual que prepara o aluno para o *Satori*.

Obviamente, o *Satori* também pode ser percebido na vida diária sem *Reiju* e isso acontece com todos nós, mesmo que possivelmente não tenhamos consciência disso. Quem não se lembra de situações na vida que traziam luz e clareza, nas quais você está, de repente, em sintonia consigo e com tudo o que existe? A próxima vez que você for à cozinha e lá, de repente, não souber mais o que queria, pare simplesmente nesse momento de silêncio e vazio enquanto ele perdurar, sem preenchê-lo com dinamismo. Isso também é *Satori*...

"*Satori*", disse uma amiga japonesa há muitos anos, quando lhe contei sobre uma experiência espiritual, "é algo ultrapassado, isto é, coisa do passado". Esqueça essas experiências já passadas. Antes do *Satori,* você não é um ser humano completo..."

Na tradição Zen acredita-se que, possivelmente, centenas de *Satoris* seriam necessários, antes que a experiência – que tem sempre um início e um fim – se transforme em um estado de espírito permanente.

Anjin Ryumei

Esse estado de espírito – Iluminação – é chamado em língua japonesa de *Anjin Ryumei, Anshin Ritsumei* ou *Anshin Ritsumyo*. Originalmente, o conceito é do confucionismo e significa aceitar o próprio destino. No zen-budismo isso significa: estar em casa, na própria vida e no próprio corpo, obter a paz absoluta e alinhar seu caminho de vida com a realidade.

A Iluminação não pode ser proporcionada por outra pessoa: a própria pessoa precisa trabalhar para conquistar isso.

Se outros dizem: "Pare de sofrer e reconheça sua natureza de Buda", isso não tem efeito. Mesmo que alguém tenha tido a experiência, não pode ser transmitida intelectualmente. Por esse motivo, é feito um ritual no qual não se fala, mas a atenção é voltada para o invisível, o inominável, o impensável. Depois, o aluno precisa colocar em prática, em sua vida diária, o que vivenciou no ritual.

A ilusão do ego

Nos séculos V e VI, o budismo migrou da China para o Japão e encontrou lá o xintoísmo. O casamento dessas duas filosofias de vida resultou em uma mistura japonesa muito específica, que já descrevi, no Capítulo 4, sobre o fundamento espiritual do Reiki.

O Buda histórico nasceu em *Lumbini*, hoje Nepal, como filho de pais nobres, em um ambiente hinduísta. Partes de seu posterior ensinamento são provenientes do hinduísmo, outras, ele redefiniu. No hinduísmo, crê-se que o mundo é *Maya* – ilusão – e apenas o *Atman*, o eu imortal, é real. Buda ensinou exatamente o contrário. Partia do princípio de que não havia o Eu e que o mundo era real, sendo o eu individual uma ilusão. Essa ilusão precisa ser constantemente restabelecida com nossas ideias sobre dualidade, nossa linguagem, nossos sentimentos e ações. O ego, segundo ele, seria um constructo intelectual e, portanto, nada mais que uma ilusão. Esse ensinamento encontra-se em toda a cultura japonesa assim como no Reiki.

Ação iluminada

Um dos principais mestres espirituais japoneses do século passado foi o mestre Zen Shunryu Suzuki, também denominado *Suzuki Roshi*. Ele ensinou que a Iluminação, na verdade, não existe. Partindo do pressuposto de que o ego não teria substância, quem deveria ser iluminado? Quando o ser humano se une ao Universo, a gota se dissolve no mar de todo o planeta e não haverá mais ninguém para gritar dos telhados: "Sou iluminado (e você não!)".

Por isso, Suzuki Roshi diz que devemos esquecer a Iluminação e, em vez disso, agirmos como iluminados. Essa atitude iluminada é uma escolha que podemos fazer a qualquer momento em nossa vida. Você sempre sabe se está agindo de forma iluminada ou egocêntrica. Vamos começar agora... Há sempre pessoas com habilidades especiais como, por exemplo, um menino de 5 anos que toca música clássica melhor do que um musicista profissional, um gênio da matemática etc. Do mesmo modo, há pessoas especiais que consideramos iluminadas. Quando nos comparamos a essa pessoa, perdemos a motivação para um crescimento espiritual. A discrepância é muito grande e a Iluminação parece inalcançável. Em vez de abandonarmos o assunto de vez, o princípio da ação iluminada traz um alívio revigorante.

A fórmula mais compreensível para uma ação iluminada talvez seja a de não fazer mal a outra pessoa ou a si mesmo por meio das suas ações. Quando essa atitude é alinhada à atenção plena, ao amor e à compaixão, então, o que precisa ser feito já está feito.

Por isso, no Zen-budismo, não meditamos para chegarmos a algum lugar ou alcançarmos algo. Não precisamos ser diferentes do que somos, mas só exatamente assim como somos. Como uma árvore no campo, uma rocha na montanha, uma rajada de vento. Se você olhar para o espelho assim como você olha para uma bela paisagem, de repente, todas as avaliações, todas as vontades e a insatisfação desaparecem.

Usui Sensei assumiu essa atitude interna no seu ensinamento: Reiki não é, portanto, uma técnica para alcançar a Iluminação, mas a prática do Reiki é ação iluminada.

愛

Ai – Amor

6
O Caminho é a Meta

Se olharmos o modelo japonês da evolução, sem a impaciência que nos é inerente, fica claro que a Iluminação não é a meta que devemos alcançar o mais rápido possível, ou seja, em tempo recorde, mas que o caminho já é a meta. O desenvolvimento de uma planta, o crescimento de uma árvore, o desenvolvimento do Universo, a infância de um ser humano. Como seria a vida sem eles? A Iluminação, nesse contexto, seria o inevitável, a meta de uma longa viagem cheia de aventuras e paixões. Nessa viagem, só tem pressa quem viaja de olhos fechados. O que importa no passeio que o leva de casa pelos campos, pela colina, pela floresta e novamente para casa? A chegada ou o trajeto, o tempo entre a partida e o destino?

A corrida com obstáculos

Sob esta ótica, os obstáculos no caminho não são desvios nem propriamente obstáculos – são atrações bem-vindas à beira da estrada. Aprendemos, com essas, a lidar melhor com as situações que temos pela frente, utilizando-as sempre como espelho, no qual aparece um brilho harmônico do nosso próprio rosto bem como do rosto dos nossos companheiros de viagem. Os obstáculos são parte da nossa vida e, se os considerarmos como parte inevitável e como bênção, não só a nossa atitude interna muda, mas também a urgência em lidar, por meio de uma atitude de conflito, com as dificuldades encontradas pela frente. Você é a sua vida com todos os acontecimentos. Tudo de bom, tudo de ruim e tudo que está no meio dos dois têm o seu lugar certo.

Imagine uma criança que aprende um jogo de cartas. Ela aprende brincando, de forma lúdica. Assim que domina o jogo, procura outro que ainda não domina perfeitamente para aperfeiçoá-lo: a vida é um jogo.

A pessoa moderna quer tudo e quer imediatamente. Quando tem muito dinheiro, compra tudo na mesma hora; quando não tem, trabalha para poder comprar o mais rápido possível.

No entanto, felicidade e satisfação não existem para serem compradas. São consequências de uma atitude interior descontraída e carinhosa em relação à vida. Se cada momento da vida puder ser como é, a bênção chega como um raio de sol sobre o orvalho e transforma em prazer tudo o que existe.

Por vários motivos, porém, não queremos permitir isso. Uma vida baseada em fundamentos egoístas exige que o Céu se oriente por ela.

Como o Céu tem, muitas vezes, uma ideia diferente sobre a convivência harmônica das estrelas do que o ego humano, o Eu exibe os seus dentes falsos. Ele se volta contra o ciclo da vida e a maior parte da energia é perdida na resistência contra aquilo que realmente é.

Na maioria dos casos, tanto faz como eu me decido – o importante é agir! Posso pegar tanto o caminho pela direita quanto pela esquerda, pois sempre acabo chegando à minha casa. Ao tomarmos decisões importantes, pode ser de grande ajuda imaginarmos como seria nossa vida na idade avançada. A partir desse olhar sob outro ângulo, você imagina ambos cenários possíveis e sabe imediatamente qual é a opção correta.

Ser identificado

Nós, seres humanos, nos identificamos com o nosso eu, com o nosso ego e, por isso, não podemos nos ver com clareza. O ego tem muitas camadas e deverá ser iluminado por baixo. O ego não é ruim, pois nos ajuda a viver e a sobreviver. Mais cedo ou mais tarde, ajuda aprender a ligar o ego quando precisamos e colocá-lo no armário quando não tem nenhuma tarefa para cumprir. Um recurso não deve ser responsável por um caminho espiritual.

O corpo físico

Essa identificação começa no plano da matéria mais rudimentar com o corpo físico. Crescemos com ele, crescemos dentro dele, aprendemos a amá-lo e a sofrer com ele, o sentimos por dentro e por fora, o olhamos no espelho desde a infância, cheiramos, ouvimos e degustamos. Nossos sentidos afirmam: "Isso é você e essa pessoa, na sua frente, com o nariz comprido e os cabelos curtos não é você". O corpo físico é a nossa identidade e isso faz sentido: se não tivéssemos a capacidade de nos distinguirmos uns dos outros, provavelmente nos abandonaríamos a cada um de nossos passos ou ainda a cada passo que observássemos nos outros!

Mas o que acontece à noite quando não há mais a identificação com o corpo? Então podemos voar, estar em vários locais ao mesmo tempo e ter uma aparência bem diferente da realidade. O que acontece quando uma pessoa está em coma ou clinicamente morta após uma parada cardíaca? Ela se lembra do mundo intermediário e retorna ao "seu" corpo. Quem somos nós quando o corpo físico não existir mais? Aparentemente, não somos somente o nosso corpo físico, mas também a nossa alma.

Para o plano físico, vale: eu sou o que como, onde moro, a forma que me movimento e a maneira que me cuido, em princípio, a partir do meu corpo, do templo que me foi disponibilizado pelo Universo por um tempo. Talvez isso o ajude na opção de sua dieta, de sua moradia e de suas necessidades físicas.

O corpo mental

O próximo plano mais denso é o nosso corpo mental que é, em muitas línguas, chamado de razão ou mente. Esse corpo é sutil e complexo. Ele consiste em nossos pensamentos, ele é o que você está pensando nesse momento. É o seu passado, suas lembranças, o produto coletivo da sua alegria e das suas dores. É o seu futuro, seus desejos, sua saudade, seus sonhos e seus projetos. É a soma das suas experiências.

É a sua filosofia de vida, suas habilidades, seus sucessos e fracassos. É tudo o que você pensa sobre você e o mundo. Mas o que você pensa é orientado pela sua cultura, sua língua, sua religião e o passado de sua cultura, bem como sua história pessoal. Não há quase nada que seja mesmo "seu".

O que acontece durante o sono se a identificação com o mental for interrompida, se o seu passado, de repente, não existir, como ocorre durante o dia no estado desperto? O que muda quando uma pessoa está em coma e (ao menos) não pensa mais como antes? Uma pessoa psiquicamente doente não é mais a mesma pessoa que foi antes de sua doença?

O corpo mental está vinculado ao corpo físico e é possível estimular, incitar, acordar ou adormecer o mental por meio do físico. O oposto também é verdadeiro.

No plano mental, aplica-se aquilo que o Buda histórico deixou registrado no *Dhammapada*: "Somos o que pensamos. Tudo o que somos é gerado com nossos pensamentos. Com os nossos pensamentos, criamos o mundo".

O corpo emocional

O corpo emocional é ainda mais sutil e, por isso, os emaranhados que nos vinculam aqui são muito mais difíceis de serem percebidos do que no plano físico e mental. Aqui você se identifica com os seus sentimentos. Sou o que eu sinto. Você se identifica com a sua alegria, a sua tristeza, o seu amor e o seu ódio. O seu medo, a sua coragem, a sua falta de autoestima ou a sua arrogância passam a ser considerados como parte do que o representa. Aqui também há o fato de que esses sentimentos são frutos do seu passado. Durante sua vida, você aprendeu que ficamos felizes com uma boa notícia ou quando somos queridos, e que ficamos aborrecidos, quando uma pessoa nos falta com respeito. Todos os nossos sentimentos, como também os nossos pensamentos, são coletivos e, por isso, não lhe pertencem ou a qualquer outra pessoa. São somente emprestados do Universo.

O que acontece, porém, quando o mundo emocional se transforma completamente devido a um trauma físico, mental, emocional ou devido a uma doença ou, ainda, quando o ser humano perde suas emoções? O que acontece quando o amor por algo ou por uma pessoa acaba de repente?

O corpo emocional, por sua vez, está vinculado ao corpo físico e mental, e podemos, de modo opcional, alternar entre um corpo e outro tal qual através de uma antiga porta de cozinha de restaurante vai e vem. Do mesmo modo, um corpo consegue influenciar, curar ou prejudicar um outro, trabalhando esse outro ou, ainda, apoiar ou atrasar o seu desenvolvimento.

Na cultura japonesa, há ainda a teoria da reencarnação, portanto, você não é somente o que viveu nessa vida, mas tudo o que viveu em todas as vidas passadas, que o transformaram no que você é.

Nesse plano vale: sou o que eu sinto. A decisão entre estar aborrecido ou grato, amoroso ou cheio de ódio não deveria ser tão difícil sob essa ótica.

A união de corpo e mente

Na entrevista que Usui Sensei concedeu aos seus alunos, como parte do material de seminário, ele respondeu afirmativamente à pergunta sobre se o Reiki seria a cura espiritual (em japonês *Shinrei Ryoho*). Na frase seguinte ele continua o pensamento, declarando que também pode ser denominado de terapia física.

O motivo para isso ficou claro no último parágrafo. No momento em que trato o corpo, mente e coração são estimulados simultaneamente. Se eu trabalho com *Sei Heki Chiryo* (ver p. 146) na mente e no coração, o corpo é tratado e curado ao mesmo tempo. O corpo e a mente são uma coisa só, e essa divisão que criamos, nas culturas ocidentais, dificulta nossa vida.

Mas o que nos impede de vivenciar essa união? É a identificação com o efêmero.

Atenção plena

O despertar espiritual – visto como processo e não como produto – começa com a atenção plena. Todos nós estamos mais ou menos identificados com o corpo, com a mente e com o coração e o primeiro passo é descobrir em que plano a identificação é mais forte e em qual é mais fraca. Você deve começar seu trabalho interno, de preferência, no plano no qual a identificação for mais fraca e, depois, se aproximar dos outros planos.

Já é tempo para uma avaliação. Se no plano mental tudo estiver perfeito, provavelmente, haverá uma série de problemas no plano psicoemocional.

Em primeiro lugar, tenha consciência dos padrões negativos e selecione um que mais o compromete e ao seu ambiente. Trabalhe nesse com disciplina diária e trate a você mesmo com *Sei Heki Chiryo*, se tiver aprendido esse método no *Jikiden* Reiki. Se souber onde, no corpo, os sintomas psicoemocionais se manifestam, trate-se diariamente. Se o problema for solucionado, passe para o próximo.

Se os principais vincos de sua psique foram alisados e o seu caráter tiver se tornado caloroso, macio e liso como seda, você pode parar com o trabalho psicológico e olhar para o que está além do eu psicoemocional.

Meditação

Usui Sensei passou, entre 1919 e 1922 – três anos –, em um mosteiro Zen, em Kyoto, focado no imortal. Durante as meditações no mosteiro, o mestre passa com seu bastão Zen por entre as fileiras de alunos, encorajando-os com o bastão, como também com sua compreensão do essencial, a olharem para o que nunca muda, para o que é sempre exatamente como deve ser. Talvez ele recite um poema ou diga: "Você não é o seu corpo, você não é a sua mente, não é homem nem mulher, não é sua religião nem sua linguagem, sua cultura ou seu país. Você precisa se tornar uno com a sua meditação, assim o Céu e a Terra se unem".

Cada um de nós identifica-se de modo diferente com os três aspectos do corpo, da mente e do coração. Há pessoas que se identificam com o seu físico; outros se identificam mais com o que "alcançaram" no mundo (com a mente) ou com o que representam. O terceiro avalia a si mesmo ou aos outros pelo que é.

Após a sua Iluminação no monte Kurama, Usui Sensei retornou ao mundo com a tarefa interior de encontrar um método para ensinar às pessoas o que ele mesmo vivera sem que tivessem de passar, no entanto, pelo esforço que ele passou. Sabia, por experiência própria, que, no mais tardar, após uma experiência espiritual, alguém precisaria de uma tradição e de um mestre espiritual e, por isso, fundou a *Usui Reiki Ryoho Gakkai* com sede em Tóquio, em abril de 1922. O resultado de sua busca ele denominou de:

Shoufoku ni hihoo

Manbyo no ley-yaku
traduzido:
A arte secreta de convidar à *felicidade*
A medicina espiritual para todas as enfermidades

Na cultura japonesa, espiritualidade não significa necessariamente sentar-se no *Zafu* (almofada de meditação) olhando para o nada e permanecer em esferas superiores, mas significa viver com os dois pés no chão, enraizado. Isso significa que o espiritual e o laico caminham juntos: a única diferença é como o ser humano lida com ambos. Se ele lida com o lado espiritual de maneira pragmática e com as questões laicas de maneira espiritual, ele, as pessoas com quem convive e o espaço que ocupa ficarão bem.

Por isso, não queremos separar o espiritual do laico e, sim, aprender a dar aos dois, o lugar que lhes compete na vida. O ser humano foi criado em uma graciosa união de corpo físico, psicoemocional e alma e apenas nessa união, em sua combinação harmoniosa, a canção da vida torna-se uma sinfonia.

Mesmo assim, a espiritualidade aplicada precisa de um determinado solo fértil enriquecido de respeito, benevolência em relação a todos os seres vivos e à natureza, como também de cortesia, humildade e bondade. Para dar a essas qualidades a atenção que exigem, é necessário, primeiramente, desacelerar e, com isso, concentrar-se no essencial. Se a sua vida for muito estressante e com muito trabalho, você se prejudica.

Possivelmente, mudar-se para uma ilha grega longínqua não é a melhor opção para todos. A arte é encontrar, na vida, um polo de tranquilidade no próprio coração e retirar-se para lá diariamente por alguns minutos, no mínimo, para carregar as baterias e se alinhar com o essencial.

Não importa se você opta por desacelerar com passeios, dança, ouvindo música, tocando um instrumento, realizando exercícios de respiração, *Tai Chi* ou meditação. Por experiência, exercícios de respiração são o caminho mais rápido e mais seguro para desacelerar, literalmente. É importante sair do estado mental e chegar ao abdômen.

A nossa respiração é a chave para uma vida feliz, tranquila e pacífica, se ela se movimentar sozinha para o *Tanden*, que está dois a três dedos abaixo do umbigo. Para isso, Usui Sensei ensina a seguinte técnica:

Joshin Kokyu Ho

Seguem aqui algumas dicas gerais e uma explicação breve. Inicialmente, essa técnica não deverá ser praticada por mais de 3 a 5 minutos. Se você se sentir tonto ou sonolento, já exagerou. Nesse caso, pare imediatamente o exercício, respire em seu ritmo natural e aguarde um tempinho antes de prosseguir com os afazeres do dia.

Respire pelo nariz e imagine que esteja inspirando uma mistura de ar e energia Reiki pelo topo da sua cabeça (o chakra da coroa). Puxe a respiração até o *Tanden*, em seu abdômen.

Segure a respiração e a energia lá por alguns momentos. Enquanto segurar a respiração, imagine como a energia se espalha em seu corpo físico e em seu corpo energético, nutrindo todas as áreas. Deixe o néctar fluir... e depois expire lenta e conscientemente. Segure a respiração por apenas alguns segundos, ninguém precisa entrar para o livro dos recordes! Encontre o seu próprio ritmo.

Expire pela boca e imagine, enquanto expira, que está, ao mesmo tempo, expirando a energia pelos seus dedos, pelas pontas dos dedos das mãos e dos pés.

Você pode fazer este exercício sozinho, para aumentar a "sua" energia ou durante um tratamento. Se respirar assim durante a aplicação de um tratamento, imagine que está expirando especialmente pela boca e pelas mãos, as quais se encontram sobre o corpo do cliente. Você se surpreenderá com o efeito Reiki turbinado. Aumente passo a passo o tempo até respirar de tal forma que pareça completamente normal e natural.

O segredo da flor de ouro

Pelo que sei, essa técnica taoista não tem nada a ver com o Reiki, mas acho que cabe mencionar. Talvez possa aproveitar: inspire luz pela sua cabeça – pelo chakra da coroa – e imagine que você está ao mesmo tempo inspirando escuridão pelas solas dos pés. A luz e a escuridão encontram-se e misturam-se no *Tanden* ...

Meditações Gassho

Não se sabe que técnica de meditação Usui Sensei praticou quando subiu ao monte Kurama para jejuar até beirar a morte e renascer. Também não sabemos se ele sequer usou quaisquer técnicas: as melhores coisas chegam inesperadamente! Após 1922, ele ensinou aos seus alunos a meditação *Gassho*.

Coloque as mãos na posição *Gassho*. *Gassho* significa sentar-se com as mãos em forma de prece, na frente do coração, de modo que, entre as palmas das mãos, não haja espaço ou haja muito pouco espaço. Os dedos encostam-se unidos de maneira relaxada com o respectivo dedo da outra mão. Há espaço suficiente sob as axilas para um punho e as pontas dos dedos estão diante da testa na altura das sobrancelhas.

Foque sua atenção no ponto onde os dedos médios se encontram. Atente, ao mesmo tempo, ao que acontece com as palmas das mãos e os dedos. Provavelmente sentirá calor, uma pulsação ou um formigamento em partes das mãos ou na mão inteira e nos dedos. Isto é Reiki! Foque sua atenção nesse processo por no mínimo 25 minutos. Atente especialmente aos dedos médios, pois eles liberam maior energia. Depois de esgotado o tempo que reservou para essa meditação, abaixe as mãos e permaneça sentado por alguns minutos, antes de retomar as atividades do dia.

Zazen

Durante sua estadia de três anos no templo Zen, Usui Sensei praticou *Zazen*, e eu gostaria de descrever essa maravilhosa técnica de meditação. A descrição mais simples do que acontece no *Zazen* é *"Shikan Taza"* – simplesmente sentar-se sem objetivo, como uma árvore ou uma rocha.

Você se senta sobre um *Zafu*, ou uma almofada, e cruza as pernas em lótus ou meio lótus. Algumas escolas ensinam que a perna direita deverá ficar sobre a esquerda e outras dizem o contrário. Veja o que gosta mais. Se não conseguir sentar-se na posição de lótus ou meio lótus, use um banco de meditação ou uma simples cadeira. As mãos devem ficar sobrepostas, colocadas no colo ou segure carinhosamente o polegar esquerdo com a mão direita. O dedo indicador da mão esquerda encontra-se relaxado sobre as articulações da mão direita.

A exploração do eu

Uma técnica maravilhosa para romper a identificação com corpo, mente e coração foi ensinada pelo Guru (no melhor sentido) indiano Ramana Maharshi. Ele recomendava questionar todo pensamento e todo sentimento da seguinte forma:

Se você nota que está pensando, pergunte-se: "Quem está pensando esse pensamento?" E se for um sentimento, pergunte-se: "Quem está sentindo esse sentimento?" Você, então, responde a si mesmo: "Eu penso esse pensamento" ou "Eu sinto esse sentimento". Depois, pergunte-se: "Quem sou eu?" e, em vez de procurar a resposta para essa pergunta retórica, você se banha em um delicioso silêncio que, lentamente, desce do Céu sobre você.

Criar rotinas positivas

E, finalmente, o próprio Reiki é meditação...

Na época de Usui Sensei e Hayashi Sensei, citavam-se os poemas do imperador Meiji para limpar a alma e cessar o diálogo interno. No entanto, como isso soa estranho para nós, ocidentais, a meditação é uma boa opção – talvez você já tenha se identificado com uma das técnicas apresentadas anteriormente. Existem inúmeras técnicas de meditação e o mesmo tanto de possibilidades para aprendê-las. Em princípio, a meditação se distingue em técnicas de meditação ativa e passiva e as de olhos abertos ou fechados.

O principal aspecto da prática de meditação é que encontre um método que combine com você. Se não gosta da meditação *Gassho* do Reiki, procure algo da sua própria tradição espiritual. Como cristão, pode procurar livros de São João da Cruz, Mestre Eckhart ou Teresa de Ávila. Se você se identificar mais com outra orientação espiritual, existem infinitas possibilidades. Todas as religiões têm uma prática de meditação bem documentada e mesmo que as religiões instituídas não lhe ajudem, você, com certeza, encontrará um mestre independentemente de religião.

Depois de ter escolhido uma técnica, mantenha-a por, no mínimo, três meses. No início, ela parece trazer excelentes mudanças em sua vida, depois, aparentemente, fica menos excitante. Esse é exatamente o ponto, no qual deve persistir. Nos últimos meses você mudou muito, mas já não percebe mais essas mudanças. Internamente silenciou-se e, por enquanto, a época das evoluções espetaculares passou. As pessoas à sua volta, no entanto, percebem que você mudou. Após alguns anos de meditação diária, ela se torna uma necessidade básica como comer, beber ou respirar!

Amor, empatia e compaixão

O início do desenvolvimento espiritual de uma pessoa é egocêntrico. Trabalhamos em nós mesmos, giramos em torno do próprio eixo e tudo o que pensamos, sentimos e fazemos tem o objetivo de introspecção e autorrealização. Em relação ao Reiki, integramos as primeiras quatro regras do *Gokai* (princípios de vida do Reiki, veja o próximo capítulo) em nossa vida diária – e depois o foco muda. O ego é reconhecido em todas as suas ações e destituído. Segundo Usui Sensei a "alma torna-se semelhante a Deus ou a Buda e ajudar ao próximo torna-se objetivo de vida".

Finalmente, o buscador descobre o amor, a empatia e a compaixão, além da mente e do coração. Quase não há pessoas que, de fato, têm a capacidade de amar, uma vez que o amor só se torna possível depois de reconhecer o ego e torná-lo inofensivo.

Aqui conhecemos o quinto princípio: *Hito ni shinsetsu ni* – seja gentil com os seus semelhantes. A compaixão é o florescer da espiritualidade aplicada, vivida em cada momento da vida. Isso é Reiki.

O exercício tradicional budista chamado de *Tonglen* ajuda você a desenvolver amor e compaixão não somente por si, mas também pelos outros, quer goste deles ou não.

Purificação

Em todas as escolas espirituais da humanidade a purificação é um tema central. O motivo para isso é óbvio: uma pessoa que se desenvolve espiritualmente aprende a alinhar sua mente da melhor maneira possível. Uma mente não focada não tem força, uma vez que é visitada por uma grande quantidade de pensamentos aleatórios. Ao esvaziar a mente do que não é necessário, ela detém uma quantidade muito maior de energia, que pode ser utilizada para a realização dos seus pensamentos e sentimentos.

Isso é maravilhoso e útil, mas, ao mesmo tempo, também potencialmente perigoso. Se mente e coração não estiverem purificados, essa força pode ter efeito negativo, por exemplo, por meio da manipulação de outros ou autodestruição.

Coração e mente são uma unidade. São um casal amoroso e merecem ser tratados como tal. Além disso, existem, no mínimo, dois motivos importantes para se ter uma relação amorosa de parceria.

O primeiro é biológico: um mundo bom precisa de crianças boas. Crianças que não estejam condicionadas ou bitoladas que, ao caminharem senhoras de si por este mundo afora, o deixem mais saudável. Segundo Usui Sensei e Hayash Sensei, o ser humano é o líder espiritual da existência e como tal deverá assumir a responsabilidade por si mesmo e pelo planeta. Se coração e mente estiverem unidos no amor, o resultado biológico é aquilo que cura o mundo e suas enfermidades.

O segundo motivo é bem prático em relação ao processo de encarnação. Em uma relação de amor, ambos são constantemente confrontados consigo mesmos. Apresentamos, com frequência, o espelho para o outro e, assim, os padrões egoístas são desmascarados, descobertos e descartados. Tanto em um relacionamento social saudável quanto em um relacionamento equilibrado, mente e coração purificam o parceiro e têm, em última instância, no plano espiritual, o objetivo de eliminar o ego.

Não é fácil trabalhar em sua própria evolução quando se está sozinho. Um relacionamento espiritual, ou a ajuda de um mestre espiritual, é indispensável. Quem tem ambos pode se considerar sortudo. Cada um de nós é, de alguma forma carinhosa, cego em relação à própria pessoa. Quem já tentou ser o seu próprio terapeuta sabe sobre o que estou falando. Não funciona.

Vazio

No *Sutra do Coração*, o texto central do budismo que descreve o cerne do *Budismo Mahayana* japonês, Buda explica que todos os fenômenos têm uma natureza vazia.

O vazio pode ser um princípio que assuste você, se pensa que vazio é algo negativo, mas se olhar para o vazio em seu interior com atenção plena ou para o vazio das coisas, observará que o coração se enche com o néctar do silêncio. Assim, o vazio se transforma em abundância.

O ego é a nossa identidade, que precisa ser repetidamente restabelecida, energizada e mantida em cada momento da vida. Fazemos isso com a ajuda da nossa língua, dos nossos pensamentos e sentimentos, com nosso inconsciente. Alguém que se deixa conduzir pelo seu ego, pela sua consciência do eu, por princípio, sofrerá e compartilhará seu sofrimento com as pessoas em seu ambiente. Sob essa ótica, incontáveis técnicas e filosofias *new age*, que também se estabeleceram no Reiki ocidental, são puro egoísmo. Sempre que se trata de vantagens e desvantagens, quando alguma técnica é utilizada para conseguir alcançar ou alterar algo, com o Reiki, não funciona.

Você pode eliminar do seu repertório a lista do que é ou não permitido no Reiki sem peso na consciência. Todas as "regras" que alimentam o medo e sentimento de culpa deverão ser dispensadas até que não haja nada mais do que... aquilo que não pode ser descrito. Não devemos confundir, sobretudo, determinadas técnicas com Reiki. O Reiki não é uma técnica, nem precisa de técnicas. Às vezes, me perguntam que Reiki eu uso particularmente. Essa pergunta me confunde. Só existe um Reiki... o resto é ilusão e ego.

Uma vez compreendido, o ego perde o domínio sobre a personalidade individual e o ser assume o comando. Isso, por sua vez, não significa que o ego irá desaparecer, mas significa que não tem mais poder para determinar as decisões da pessoa. Você se lembra do conceito de *miko*: alguém, cujo ego está desligado, deixa-se conduzir pelo Céu e entrega-se ao destino com humildade. Uma atitude humilde permite à pessoa que a tem caminhar pela vida com uma conduta positiva... a qual também tem lá os seus limites. Às vezes, pode ser interessante estabelecer medidas para alguém que está em vias de prejudicar a si e a outros.

Dizer sim

Tudo na vida tem o seu lugar. Isso também se aplica a nós, praticantes de Reiki.

Nascimento e morte, saúde e doença, riqueza e pobreza, juventude e velhice. Toda a alegria e todo o sofrimento do mundo fazem parte disso e, mesmo assim, no Reiki, focamos nossa atenção na compreensão dos processos internos e não na alimentação de padrões de comportamento e pensamento negativos. Na prática, a doença é o desequilíbrio gerado por uma carga de toxinas demasiadamente alta. Por isso, a saúde absoluta é uma ilusão: o corpo oscila entre "ter saúde" e "estar doente" e, mais cedo ou mais tarde, temos de abandoná-lo. Por isso, no Reiki, a doença, com nosso trabalho prático de *Byosen* não é nada ruim. O corpo acumula toxinas que não consegue queimar ou eliminar e, com isso, nos faz um favor: ele nos mantém vivos o máximo possível!

Por essa razão, aceitamos a doença dos nossos clientes, independentemente da sua gravidade. A ajuda para quem sofre vem de cima: quando a alma do cliente é tocada durante o tratamento, surge um sorriso em seus lábios. Mesmo que ele mesmo não tenha percebido, ele se lembrou do seu estado natural. Essa lembrança é um estado vazio, mas como não sabemos lidar com esse vazio, falamos "adormeci…" Nada está mais longe da verdade!

Impermanência

Como vemos pela forma como os japoneses lidam com catástrofes – terremotos, tsunamis e usinas nucleares avariadas –, percebe-se que o tema da reencarnação faz parte de todas as situações de vida. Se você não se tornar um pintor de renome nessa vida e, mesmo assim, se empenhar, pode alcançar seu objetivo na próxima ou em alguma das seguintes. Quando morre uma pessoa, isso dói muito para nós, mas, para os japoneses, a morte não será tratada como um tabu, como a maioria de nós costuma fazer.

No xintoísmo, bem como no budismo, a impermanência é a única certeza na qual podemos confiar na vida. Nada perdura para sempre: o mundo gira sem nos pedir autorização ou sem nossa concordância. O ciclo do nascimento, vida, morte e renascimento segue seu próprio ritmo.

Em relação à impermanência da saúde e, em última instância, do caráter transitório do corpo físico, no Reiki, sempre se questiona se o nosso objetivo é a preservação da saúde, da vida e/ou da relação com tudo o que faz parte disso.

A vida e a morte são uma unidade, não são início nem fim. Em relação à doença e ao sofrimento, não podemos nos permitir o luxo da avaliação de bom ou ruim, trabalhando sem intenção. Obviamente, iniciamos um tratamento, ou uma série de tratamentos, por querermos ajudar o cliente, mas, quando colocamos as mãos, abandonamos nossa própria vontade e deixamos o "universal" fluir. Seria puro egoísmo se eu, com meu pequeno eu, me opusesse ao ciclo da vida, acreditando que a situação do cliente não deveria ser como aparentemente está no momento. Se eu utilizar minha energia – digo ego – para "segurar alguém aqui", eu fico cansado e coloco-me em uma posição que não me compete como ser humano. A humildade e a modéstia surgem com a atitude interna de que somos somente um canal para as forças cósmicas, dizendo: "Seja feita a sua vontade".

Não intencionalidade

Por isso, no Reiki, só existe um objetivo que é tocar a alma, a mente, a essência divina de quem recebe a energia, gerando um movimento para despertá-lo. Todo o resto acontece sozinho. A vida não termina por causa de uma doença, mas por causa da morte, que sempre surge no momento certo, no local certo – mesmo que não aceitemos isso de bom grado.

O budismo diz que nada pode existir sem outra coisa: a vida está sempre em sintonia com a existência. Somente o ser humano se defende veemente, pois acredita que sabe das coisas.

A evolução humana tropeça em duas, de três fases: na primeira fase, a pessoa pensa que é vítima do Universo e das forças que atuam em torno dela. Na segunda fase, acredita ser o presente de Deus para a humanidade e que os seus pensamentos dirigem o curso das estrelas. Nessa fase, estão a maioria dos defensores do *new age*. Na terceira fase, quando os tropeços se tornam uma dança com o Universo, o dançarino sabe que tudo está relacionado e que o Sol e a Lua, homem e mulher, topos das montanhas e vales profundos, doença e saúde, guerra e paz, pobreza e riqueza, a vida e a morte só podem existir em parceria, de mãos dadas.

O budismo diz, também, que a vida e o sofrimento estão inseparavelmente interligados, existindo, porém, uma saída para o sofrimento: a aceitação incondicional do sofrimento natural e a suspensão do sofrimento evitável. O Reiki nos oferece essa possibilidade, através das mãos, em todo tratamento e com todo *Reiju*.

Antes do tratamento, há o desejo de ajudar, ou seja, a clara intenção. Durante o tratamento, ela é abandonada e entregamos nossa "vontade" a uma força maior. No tratamento de Reiki, a intenção seria uma predominância do ego e é justamente o ego que queremos abandonar com o Reiki.

No decorrer do tratamento de Reiki, não fazemos literalmente nada. Um professor japonês não entenderá nossa ideia ocidental de esvaziar a mente durante o tratamento, pois isso também seria uma ação velada.

O praticante que aplica um tratamento de Reiki não é importante e, quanto mais conseguir se afastar, melhor será o efeito. O praticante de Reiki fica relaxado e aberto, como uma janela.

Chiyoko Sensei sempre dizia: "Vocês pensam demais. Reiki é a coisa mais fácil do mundo: é só colocar as mãos!".

Despertar

O despertar, tanto no budismo indiano como no budismo japonês, é comparado ao florescer de uma flor de lótus. As pétalas abrem-se uma a uma – mas não temos o luxo de ajustar o nosso próprio despertador. Por isso, o despertar não é um estado, mas um processo que nos acompanha diariamente. Ele é percebido assim e dessa forma merece ser comemorado. Vamos celebrar com alegria e humildade.

Tamashii – alma

7
Filosofia de Tratamento – Os Princípios de Vida do Reiki

Nos próximos capítulos, queremos, mais uma vez, falar mais especificamente sobre a vida no Reiki, como caminho espiritual. Os pilares básicos da prática de Reiki são os princípios de vida do Reiki, sob o ponto de vista filosófico – o *Gokai* –, abordarei com mais detalhes. Sob o ponto de vista prático, temos o *Byosen*, descrito brevemente no próximo capítulo. E o principal pilar é você. Você é Reiki.

Como já descrito, Reiki não é religião ou seita e não é necessário para isso seguir uma filosofia de vida específica. Usui Sensei queria compartilhar um método com a humanidade que funcionasse para todos e proporcionasse, a cada pessoa, felicidade, saúde e alegria de viver.

Nos primeiros dias de seu trabalho, ele percebeu que algumas pessoas que havia tratado retornavam mais tarde com os mesmos problemas ou problemas semelhantes.

Vamos ver o que ele mesmo tem a dizer no *Kokai Denju* (os comentários entre parênteses são meus):

> "Primeiramente, a alma precisa ser curada. Com o Reiki, a alma (*kokoro*) torna-se semelhante a Deus ou a Buda e torna-se objetivo de vida querer ajudar os seus semelhantes. Assim (devido à semelhança com Buda), deixamos a nós e a outros felizes."

Para curar a alma, Usui Sensei ensinou duas técnicas: o chamado *Sei Heki Chiryo* (no Reiki ocidental, o tratamento mental) e o *Gokai* – os cinco princípios de vida do Reiki.

Toda escola espiritual, no Japão, bem como toda instituição japonesa como, por exemplo, uma escola fundamental, segue uma orientação clara. Muitas vezes, essa é exibida em um ponto estratégico na instituição, no auditório ou no escritório do diretor, em um pergaminho, uma caligrafia. Na *Usui Reiki Ryoho Gakkai* e na *Hayashi Reiki Kenkyukai,* eram os cinco princípios de vida, a base ética do trabalho de Reiki. Esses princípios consistem em cinco regras simples, legíveis em japonês, compreensíveis a todos e imediatamente aplicáveis. Não são místicas nem secretas e todo japonês, ao lê-las, logo concordará com a cabeça e sorrirá. Você pode mostrá-las aos seus amigos japoneses sem peso na consciência.

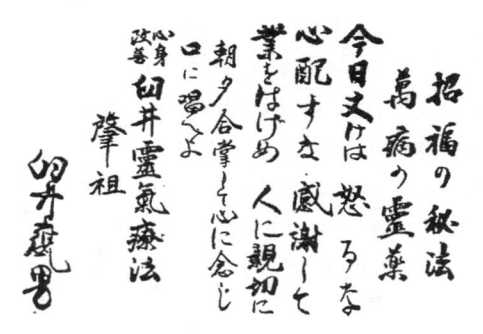

Gokai com introdução e finalização em caligrafia por Ushida Sensei
(para se ler de cima para baixo e da direita para esquerda)

Gokai: introdução

A palavra *Gokai* consiste em dois caracteres (*kanjis*) japoneses. A palavra *Go* significa "cinco" e a palavra *Kai* significa "regra, princípio", ou seja, juntando os dois termos, temos, como resultado, os "cinco princípios". Como você pode ver na página 85, há uma introdução e uma finalização. Os princípios propriamente ditos encontram-se escritos nas colunas verticais* 3, 4 e 5. Eles foram compilados

---

* Todas as colunas citadas daqui por diante referem-se à imagem do Gokai, escrito em Kanji e em colunas, que juntamente com as outras figuras compõem este livro. (N.T.)

por Usui Sensei com o objetivo de proporcionar aos seus alunos um fundamento ético para uma vida feliz, plena, saudável e otimista. Correspondem ao *Zeitgeist** do início do século XX, no Japão, e não são consideradas uma armadura moral para o trabalho de Reiki, mas um mapa prático para o seu desenvolvimento interior. Se você seguir esses princípios de vida da melhor maneira possível, se tornará saudável e íntegro em todos os planos, mesmo que seu corpo adoeça. Isso é um compromisso.

Por sorte, você não pode manipular sua vida conforme suas ideias egocêntricas. Temos a tendência de querer evitar o sofrimento e buscar o divertimento. Se tivéssemos escolha, na nossa vida só haveria o amor incondicional, saúde, sucesso e fortuna. Mas, assim, não aprenderíamos nada. O coração é purificado pela dor, pela doença, pela perda etc.

A introdução (colunas 1 e 2 à direita) diz:
Shoufuku no hihoo
Manbyo no Reiyaku
Shoufuku significa "felicidade, ser feliz"

---

* Termo alemão cuja tradução significa *espírito da época*, *espírito do tempo* ou *sinal dos tempos*. O *Zeitgeist* significa, em suma, o conjunto do clima intelectual e cultural do mundo, numa certa época, ou as características genéricas de um determinado período. (N.T.)

Hihoo significa "arte secreta"

No* é uma preposição e significa "de (alguém ou algo)", "do", "de cujo".

Tudo junto significa: "A arte secreta para (convidar) à felicidade, à medicina espiritual para todas as doenças".

O título dos cinco princípios é o que fornece o contexto adequado ao todo:

Kyo dake wa

Kyo significa "hoje"

Dake significa "somente"

Wa é uma preposição japonesa que nos explica que o que segue se refere a esse título.

Tudo junto significa: "Somente hoje (o seguinte)"...

Com isso, o título *"Kyo dake wa"* (coluna 3 acima) é a chave para um *Gokai* bem-sucedido e integrado. Com as palavras "somente hoje", Usui Sensei tira um peso insustentável de nossos ombros. Ele nos ajuda a orientar a atenção para esse momento. Nesse momento, tudo é sempre como deve ser. Criamos as dificuldades na rotina diária porque sempre projetamos nossos pensamentos para o

---

* Em português significa "para". (N.T.)

futuro ou passado. Avaliamos situações, outras pessoas e a nós mesmos sempre comparando com o que houve ou com o que, segundo nossa opinião, deverá ser no futuro.

Se alguém lhe disser que isso ou aquilo que você acha difícil não pode ser feito, pois exige disciplina, você já desiste antes de começar, mas *"kyo dake wa"*, somente hoje, apenas nesse momento e, provavelmente, no momento após o presente, nos mostra que é possível agir de forma iluminada e romper com comportamentos que nos atrapalham.

Pensamentos e sentimentos que nos atrapalham – e que vêm do passado – intoxicam o nosso presente e, portanto, o nosso futuro. Quanto mais vezes um padrão negativo é repetido, mais fortemente ele fermenta no seu interior. Retome as rédeas e comece já a identificar o negativo. Depois que isso acontecer, deixe de alimentar o padrão não desejado. Cada pensamento e cada sentimento que você alimenta em seu interior precisam da sua ajuda e da sua energia para existir.

Mesmo que o pensamento ou sentimento pareça ser externo, por exemplo, uma percepção, é sua tarefa dar uma forma a ele. Você lhe dá força e prossegue com ele mais ou menos de modo consciente. No entanto, se não lhe dá atenção e se recusa a colaborar, ele não sobrevive e se desfaz... até surgir o próximo pensamento e o próximo sentimento. E o próximo deve ser tratado da mesma forma e, mais cedo ou mais tarde, chega o silêncio e o seu vazio interior se enche com um delicioso néctar. Aqui você também pode utilizar a exploração do eu de Ramana Maharshi (p. 100).

O processo da conscientização é longo e difícil. Muitos circuitos elétricos em sua mente estão ligados de forma negativa. Precisam ser primeiramente identificados e depois neutralizados. É como se você quisesse arrancar todas as instalações elétricas da parede da sua casa para instalar cabos melhores. Esse trabalho interno é doloroso, mas, confiando na promessa do Mestre Usui, "*Shoufuku no hihoo, manbyo no reiyaku*", sabemos que a dor é transitória e que a flor de lótus desabrocha da lama em direção ao sol.

Os cinco princípios

Ikaru na

Ikaru significa "aborrecer-se".

Na significa literalmente "não", juntos significam: não se aborreça.

A palavra *Ikaru* (coluna 3, ver p. 115) tem um caráter explosivo em japonês e descreve um tipo de aborrecimento de tirar o fôlego. A segunda palavra, contudo, modifica o clima do que foi dito. *Na* é uma palavra que não é utilizada entre pessoas da mesma idade ou do mesmo nível hierárquico. Vem sempre de outro ponto de vista, é uma "palavra da avó". Ela não tem significado moral como "se você se aborrecer, vai para o inferno do Reiki", mas é falada por uma pessoa com mais experiência que você. Essa pessoa lhe diz que, com sua raiva, está desperdiçando tempo e energia que poderia usar de forma mais criativa, em vez de se aborrecer. Diz também que, com sua raiva, está deixando doentes a si mesmo e o ambiente ao redor. Quem quer viver com uma pessoa aborrecida? Você porventura? Com você mesmo?

Antes de aprender a lidar com sua raiva, precisa, primeiro, assumir a responsabilidade por ela. A palavra responsabilidade vem do latim *respondere* (responder). Assumir responsabilidade significa, portanto, responder e reagir de forma adequada à situação. Nesses termos, assumir responsabilidade sobre tudo que acontece na sua vida é excelente e, ao contrário das suas expectativas, alivia o peso. Perdura a leveza.

Mesmo que um pensamento ou um sentimento seja aparentemente despertado por uma situação, um ato ou por algo dito por outra pessoa, apenas ressoará com algo que já existe em você. Imagine se uma pessoa que não tem sentimento de raiva em si for provocada por outra pessoa: não acontecerá absolutamente nada. Assuma, portanto, a responsabilidade pelo que sente e pensa. Só assim algo positivo pode acontecer.

Shinpai suna

Shinpai significa "preocupar".
Suna vem do verbo *suru* e significa "fazer".
Na, no final da palavra, significa novamente "não".
Tudo junto significa: não se preocupe.

Os dois primeiros princípios de vida se referem aos estados mais tóxicos do ser humano moderno. Nós nos intoxicamos diariamente com nossa raiva e preocupações. Como já expliquei, o aborrecimento é comumente gerado no nosso ambiente. As preocupações são produzidas por nós mesmos. Por esse motivo, Usui Sensei diz: *Shinpai suna*, que significa, literalmente, "não se preocupe".

Primeiro você tem um pensamento e depois começa a modificá-lo. Digamos que encontre uma espinha em sua axila. Em pensamento você vai ao médico e, meia hora depois, já está imaginando o seu próprio velório. Tudo só imaginação!

Nós, no entanto, nos aborrecemos, nos preocupamos. Desde a nossa infância, trabalhamos para melhorar o nosso caráter, mas aqui sempre fracassamos. Nos anos de 1970, batíamos em almofadas para nos livrarmos de nossa raiva, ou gritávamos na natureza. Nada ajudou. A chave estava escondida na arca do tesouro do Mestre Usui.

Kansha shite

Kansha significa "grato".
Shite significa "seja" ou "faça".
Tudo junto significa: seja grato.

A gratidão é o melhor remédio contra aborrecimentos, preocupações e sentimentos afins. O terceiro princípio nos recomenda purificarmos o coração para encontrarmos espaço para a gratidão (coluna 4, abaixo; ver p. 115). Purificar o coração é um maravilhoso plano. Veja-o com alegria, mesmo que lhe pareça uma tarefa gigantesca. *Kyo dake wa* não é tão difícil. Um coração purificado é um coração que se ilumina na ausência de sentimentos que não estão relacionados ao que existe agora. Ele não é ciumento, não busca o poder, sexo ou dinheiro, não entrega o seu reino em troca de mentiras, competição e intrigas. Esse vazio enche-se de gratidão.

A gratidão não é, no entanto, um negócio e não deverá depender de algo que precise acontecer antes. A gratidão incondicional é uma capacidade natural do nosso coração, não há necessidade de aprendê-la. É simplesmente uma questão de costume acreditarmos que só podemos ser gratos por algo que aconteceu. Deixe seu coração se encher de gratidão, agora...

Você não consegue estar ao mesmo tempo aborrecido ou preocupado e ainda grato. Tente fazer isso, enquanto lê essas linhas. A gratidão é sempre mais forte do que os sentimentos menos nobres. Esse fato é conhecido também na hipnoterapia moderna: o sentimento mais forte sempre desativa o mais fraco. Com esse conhecimento, você pode direcionar sua vida em todas as situações desafiadoras para o positivo. Encare as dificuldades não como uma carga, mas como possibilidades de crescimento.

Segue um pequeno exercício para experimentar agora:

O sorriso interior

Com 18 anos cheguei em Puna, Índia, em busca, na época, do polêmico guru *Osho*. Uma das técnicas grandiosas que ele lecionou é o denominado sorriso interior. Imagine que seu coração está sorrindo e o sorriso logo alcançará seus lábios. Veja o rosto de uma estátua de Buda e entenderá. Esse sorriso meigo mudará sua vida. Se você olhar cada momento com um sorriso, ele olhará com um olhar simpático para você e seu ambiente.

Gyo o hage me

Gyo é a única palavra no *Gokai* que pode ter uma interpretação distinta. Pode significar "trabalho", "obrigação", "cerimônia religiosa" ou "karma". Nesse caso, é traduzido como "obrigação". O karma é a lei de causa e efeito: tudo o que pensamos, sentimos e fazemos tem efeito, portanto, seria absurdo dizer trabalhar em seu karma. Não há nada na vida além disso?

Hage me significa "fazer algo cem por cento, de todo coração".

Tudo junto significa: "faça sua obrigação de coração" (coluna 5, acima; ver p. 115).

Para entender direito a palavra japonesa *Gyo*, o dicionário não é suficiente. Durante o período Edo, entre 1603 e 1868, o Japão estava completamente separado de seu entorno e assim desenvolveu-se uma cultura individual que não pode ser comparada com a cultura de outro povo. Desenvolveram-se inúmeros conceitos estranhos a outras culturas, por exemplo, *Gyo*.

Como já discutimos em outro momento, a reencarnação é parte elementar da cultura japonesa. O ser humano vive, morre e renasce até entender a si mesmo e ao sentido da vida. A roda da evolução gira de uma vida para a próxima e, entre uma e outra, a alma descansa "em casa". De lá, ela procura os pais adequados e seleciona-os de modo consciente.

O que acontece em nossa vida é nossa própria escolha e torna-se, assim, o nosso *Gyo*. Não importa qual é nossa família de origem, a escola, a profissão, o cônjuge ou os filhos, somos responsáveis por tudo isso e optamos por ser assim. Por isso, eu dou o melhor de mim, da melhor forma possível. Quando limpo a casa, eu o faço com atenção plena. Quando corto a grama, medito, sou carinhoso com minha esposa ou brinco com as crianças, sempre me empenho com o que tenho, mesmo que isso, às vezes, não seja suficiente.

Isso não significa, no entanto, que tudo em nossa vida seja predeterminado. Você recebeu um campo de ação de um determinado tamanho, no qual tem bastante liberdade para aprender o que ainda falta no seu caminhar. Chamo a isso de pequena liberdade.

Os primeiros quatro princípios do *Gokai* descrevem seu próprio trabalho interior. Depois de fazer isso, você integrou *"ikaru na, shinpai suna, kansha shite e gyo o hage me"* da melhor forma na sua vida, e não há mais trabalho a fazer. Você se tornou uma pessoa "íntegra" e sua tarefa agora muda. As primeiras quatro regras são para alguém que sofre. A quinta regra é para alguém que entendeu o sofrimento e o transcendeu. Agora sua tarefa é compartilhar com outros a bênção que recebeu.

Não é necessário, contudo, tornar-se um mestre de Reiki somente depois de integrar essas quatro regras, em sua rotina diária, sem fracasso. Talvez seus fracassos sejam mais importantes que seus sucessos. Com eles você aprende, continua modesto e humilde e sabe sempre exatamente em qual dos quatro planos ainda há o que fazer. Você não deve se tornar santo, mas um ser humano. Uma pessoa se destaca pelos seus fracassos e pelo fato de como lida com eles. Imagine se tivesse que viver com um santo ou uma santa. A vida seria insuportável!

Hito ni shinsetsu ni

Hito significa "ser humano".

Ni é uma preposição e significa "para" ou "ao".

Shinsetsu é uma palavra maravilhosa que significa "bom", "simpático", carinhoso", "empático".

O segundo *Ni* tem o mesmo significado que o primeiro.

Tudo junto significa: "seja bom (carinhoso, tenha compaixão) com seus semelhantes".

Como já mencionei anteriormente, a iluminação não é para você, não é algo pessoal. A premissa básica no budismo japonês é que o eu separado é uma ilusão, ou seja, não existe. A sua transformação só terá algum aspecto positivo se for para o bem da humanidade. No Budismo *Mahayana*, a iluminação já é dedicada no início do caminho ao bem da humanidade, com o denominado juramento *Bodhisattva*, (ver p. 60).

"Seja bom com seus semelhantes" (coluna 5, embaixo; ver p. 115), ou seja, a compaixão aplicada é a coroa do desenvolvimento espiritual. Até esse ponto você girou em volta de si mesmo e agora tornou-se uma bênção para as pessoas ao seu redor, ao redor de seu ambiente.

Finalização

Após os cinco princípios de vida, Usui Sensei escreve (colunas 6, 7 e 8 da direita para esquerda; ver p. 115):

Asa yuu gassho shite

Asa significa "de manhã".
Yuu significa "à noite".
Gassho significa "Com as mãos em prece na frente do coração (ou mais alto)".
Shite significa "faça".

Kokoro ni nenji

Kokoro significa "coração/mente".
Ni é uma preposição que significa "para", "ao".
Nenji significa "sentir o significado".

Kuchi ni tonaeyo

Kuchi significa "boca".
Ni é a preposição descrita acima.
Tonaeyo significa "repetir", portanto "falar em voz alta".

Shin Kaizen Usui Reiki Ryoho

O primeiro *Shin* significa "coração/mente".

O segundo *Shin*, em um outro *kanji*, significa "corpo".
Kaizen significa "melhoria".
E o resto nós já conhecemos.

Tudo junto significa: "assuma a posição *Gassho* de manhã e/ou à noite e recite os princípios de vida em voz alta, enquanto sente o significado em seu coração para melhoria do corpo e mente com o método de cura Reiki Usui".

Chosso Usui Mikao

Chosso significa "fundador". Na coluna 9, está escrito *Chosso* (fundador) e, na coluna 10, o nome de Mikao Usui (ver p. 115).

O *Gokai* deverá ser recitado, portanto, em japonês. O motivo, pelo qual não deverá ser falado em outro idioma é que as palavras do *Gokai* são consideradas *Kotodama* ou *Kototama*.

Kotodama, palavras com significado espiritual

O termo *Kotodama* consiste em dois *kanjis*. *Koto* significa "palavra" e *Dama* ou *Tama* é uma abreviação para *tamashii*, "alma".

Tudo junto significa: "palavra com alma" ou "frase com alma".

Kotodama é um conceito do *Ko-Shinto*, do xintoísmo original. Antes da introdução dos *kanjis* e do budismo, no Japão, os japoneses não tinham, nem precisavam de escrita. O xintoísmo ensina que cada palavra tem uma força espiritual inerente. Essa força, todavia, é ativada somente com a articulação em voz alta. Com isso, desenvolveu-se o conceito do *Kotodama*.

Semelhante a um mantra, um *Kotodama* precisa ser recitado em voz alta para potencializar sua força. Na nossa cultura, o místico Rudolf Steiner tem um conceito semelhante. Ele ensinou que as vogais expressam os nossos sentimentos interiores e as consoantes expressam o que vemos no exterior. Como o som da palavra ou de uma frase muda na tradução, ele perde a força inerente. Imagine recitar a sílaba *"om"*, originalmente em sânscrito, mas na sua tradução para o português!

Todas as palavras que usamos têm uma energia positiva ou negativa. O *Kotodama* pode, portanto, ser positivo ou negativo. Uma palavra positiva inspira aquele que a diz e quem a ouve. Uma palavra negativa tira a energia de ambos. No exemplo das palavras simples, como amor e ódio, você consegue entender o significado de um *Kotodama* e senti-lo no próprio corpo. Diga uma palavra após a outra lentamente para você mesmo e não há necessidade de nenhuma explicação adicional.

O cientista japonês Dr. Masaru Emoto, que infelizmente veio a falecer no segundo semestre de 2014, evidenciou, nos seus últimos anos, o princípio do *Kotodama*, de uma maneira linda, com as fotografias de cristais de água. A água sonorizada com palavras positivas cristalizava-se de forma perfeitamente harmoniosa e a água que recebia palavras negativas, cristalizava-se nesse contexto. Imagine o que o uso de sua linguagem e de seus pensamentos fazem, positivamente ou negativamente, no interior de seu corpo composto entre 70% e 80% de água.

A essência do *Kotodama*, todavia, não gira em torno do pensamento positivo americano, que ensina o uso do pensamento positivo para alcançar algo, conseguir algo ou ter uma vantagem. A vantagem em alimentar pensamentos positivos está na magia do momento. Demande algo positivo para sua vida e ela lhe presenteia, nessa ocasião, com um sorriso.

Kokoro – *Coração / Mente*

8

Prática de Tratamento –
Byosen e a Atitude Correta

Se este livro caiu em suas mãos, acredito que você já tenha bastante experiência com aplicações de Reiki em diferentes situações. Por isso, não detalharei os fundamentos de um tratamento, mas queria esclarecer alguns detalhes básicos e mais aprofundados a esse respeito.

Numa sessão de Reiki, o corpo do cliente é tocado suavemente. O toque físico é algo que desejamos desde a nossa infância. Associamos o toque ao amor e o amor incondicional é o que cura.

O único aspecto importante é que o terapeuta esteja sentado ou em pé de maneira confortável, que seus punhos e seus ombros não estejam tensionados e que esteja plenamente atento. Ele não precisa se concentrar, só estar atento para sentir o processo de cura de seu cliente.

Em situações excepcionais, se, por exemplo, uma parte do corpo lesionada dói e não pode ser tocada, as mãos deverão ser colocadas a poucos centímetros acima dessa área. O mesmo se aplica a partes do corpo que, por motivos éticos, não podem ser tocadas sem a autorização prévia do cliente. Um tratamento de Reiki é, obviamente, sempre aplicado no cliente plenamente vestido (a não ser em um relacionamento, se a situação for propícia).

Não há nada que possa interferir no tratamento. Reiki, enquanto energia da alma, atravessa tudo. Relógios de pulso, metais, café, chá, álcool, cigarro ou algum tipo de alimentação não comprometem o Reiki. Um consumo moderado de drogas, sob esse ponto de vista, também não é problema. Toda pessoa deverá aprender a ouvir seu próprio corpo e ingerir o que lhe faz bem. O Reiki não tem nada a ver com nossos conceitos morais.

Colocar as mãos – "ligar" o reiki

Muitas vezes, ouvimos que Reiki é uma "energia inteligente" que flui para onde for necessária. A inteligência é um conceito humano intelectual, mas o Reiki não se preocupa com nossas mais maravilhosas filosofias. Reiki é luz. No momento em que você liga a luz, ela estará em todo lugar. Não precisa direcioná-la para um determinado canto que queira iluminar e o Reiki também não precisa se esforçar para iluminar algum lugar. O Reiki ilumina todo o corpo, sem importar sobre qual parte do corpo você coloca as mãos. No local onde as coloca, no entanto, a luz é mais intensa, por isso o Mestre Usui recomenda colocá-las lá, onde se manifesta o problema físico.

Todo problema físico pode ser tratado com Reiki. Isso traz bons resultados de cura, se o corpo ainda estiver em condições de se curar. Uma enfermidade grave exige aplicações de Reiki diárias de, no mínimo, uma hora. Após um mês, às vezes, você vê melhoras incríveis e, após três meses, uma cura completa, até mesmo das doenças mais graves, o que não é impossível. Obviamente, um praticante de Reiki, que não seja médico ou terapeuta formado, não promete cura nem faz diagnósticos clínicos.

Mesmo doenças classificadas como incuráveis do ponto de vista médico podem, muitas vezes, ser tratadas com sucesso surpreendente. Além disso, mesmo que uma cura já não seja mais uma possibilidade, há chance de que o estado de saúde se estabilize. O importante é nunca desistir.

Se um cliente está em processo de morte, o Reiki faz muito bem.

Doenças psíquicas são tratadas com uma técnica especial do *Sei Heki Chiryo*.

O Reiki é um coadjuvante maravilhoso para massagem, aromaterapia, quiropraxia, acupuntura e na medicina clássica. Adapta-se tanto a outra técnica adotada, ao caráter da pessoa que o aplica, bem como ao corpo do cliente. Independentemente das demais formas de terapia adotadas, o Reiki sempre tem efeito positivo. Uma pessoa iniciada no Reiki não consegue ligar nem desligar o Reiki. Ele flui quando se coloca as mãos, mesmo sem a intenção de aplicar Reiki. O Mestre Usui explicou, em sua apostila de curso, que o Reiki irradia especialmente das mãos, dos pés, dos olhos e da respiração da pessoa que aplica, mas também de cada célula do corpo.

Um praticante de Reiki apoia a decisão do seu cliente em relação ao tratamento alternativo ou clássico, escolhido pelo cliente, ajudando, assim, o corpo a lidar com a doença da melhor maneira possível.

Não é necessário acreditar em Reiki para que ele funcione. É possível, por exemplo, tratar clientes inconscientes ou em coma com sucesso, bem como animais e plantas. Se o cliente, no entanto, acreditar na sua cura, se tiver projetos para o futuro que o motivem a viver, suas chances são melhores.

O Reiki deverá se tornar parte da rotina. Não existe *overdose* de Reiki e não é necessário temer que o fluxo do Reiki acabe, quando não se aplica o Reiki por alguns dias.

Aqueles de nós que têm família provavelmente aplicam Reiki diariamente. Não há necessidade de um determinado ritual para a prática de Reiki. Na família, também não há, obrigatoriamente, a necessidade de uma maca; um sofá, uma cama ou uma cadeira confortável são suficientes.

Autotratamento

É claro que você já sabe que pode se tratar com Reiki. Se não consegue se ajudar, também não consegue ajudar outras pessoas. O autotratamento é um presente de Usui Sensei. Você tem, literalmente, a responsabilidade pela sua saúde em suas mãos.

O caminho mais fácil para o autotratamento foi descrito pelo próprio Mestre Usui: "Se você tiver dor de dente, trate o dente. Se tiver dor de barriga, coloque a mão/as mãos no abdômen".

A vida diária, todavia, nos oferece inúmeros momentos nos quais temos uma ou duas mãos livres: nesses momentos coloque uma mão (ou ambas) informalmente e deixe-a agir. Ao assistir à TV, por exemplo, ou no avião, trem, você tem horas para se tratar. Torne isso um costume. Muitas pessoas que praticam Reiki começam e terminam seu dia com Reiki, logo após acordarem ou ao dormirem, na cama.

O autotratamento é tão eficaz quanto um tratamento aplicado por outra pessoa, mas há dois aspectos negativos. Em primeiro lugar, não se percebe o *Byosen* tão claramente como quando se toca um corpo estranho e, em segundo, geralmente, relaxamos melhor quando podemos nos entregar às mãos carinhosas de outra pessoa. Você pode se beijar, mas ser beijado por outra pessoa, sem dúvida, é mais prazeroso.

Desintoxicação e processos do próprio corpo

Não há efeitos colaterais do Reiki, com exceção da felicidade e satisfação, saúde e alegria de viver. No entanto, pode acontecer que um corpo tratado com Reiki, de modo intenso, elimine toxinas de modo mais rápido. Se o cliente toma medicamentos fortes, provavelmente, precisará reajustar a dosagem depois. Para um diabético, por exemplo, é importante checar a glicemia com maior frequência durante o tratamento com Reiki.

Quando o corpo se desintoxica durante ou após um tratamento de Reiki, ele faz exatamente o que deve fazer e a pessoa que aplica o Reiki fica feliz. Dores de cabeça, de barriga, febre, indisposição, ânsia e diarreia, entre outros sintomas, apontam para uma bem-vinda crise em direção à cura. A melhor maneira de lidar com isso é dar descanso ao corpo e ainda mais sessões de Reiki e ficar feliz pelo fato de o sistema imunológico estar funcionando de modo perfeito. Usui Sensei e Hayashi Sensei recomendam realizar, após cada tratamento, o *Ketsueki Kokan* (troca de sangue, Técnica da Circulação Sanguínea – a propósito, veja o livro *Die Reiki-Techniken des Dr. Hayashi**, p. 55 ss.).

Ao compreender os processos físicos do seu cliente, devido à sua experiência com o Reiki, o praticante saberá explicar isso a quem está sendo tratado. Se ele, no entanto, não for capaz, o cliente possivelmente não voltará, o que seria uma pena!

A beleza do Reiki é a de que qualquer pessoa pode aplicá-lo após o primeiro *Reiju* sem grandes conhecimentos ou habilidades prévias. Se o praticante estiver sentado ou em pé, confortavelmente, e tiver aprendido a se colocar em segundo plano, o Reiki não o deixa cansado nem doente. O Reiki é uma via de mão única e não há energia "negativa" que possa retornar ao praticante.

Aceitar o fluxo livre

Não existe uma situação na qual o Reiki possa ser nocivo. O Reiki é sempre a favor da vida. Infelizmente, ain-

---

* *A Técnica de Reiki do Dr. Hayashi*, publicado pela Editora Pensamento, São Paulo, 2005. (fora de catálogo)

da existem professores e praticantes de Reiki que tentam projetar seus próprios medos no Reiki, mas tudo que lhe causa medo e culpa não tem nada a ver com o Reiki.

Durante o tratamento, portanto, não há necessidade de uma "proteção energética" (uma pergunta que ouço muito!). A melhor proteção é se abrir o máximo possível e abandonar qualquer resistência, com humildade e dedicação. Muitas vezes, pensamos que algo não deve ser como é e resistimos com toda força contra o fluxo da vida. Somos, no entanto, pequenos, um grão de areia no Universo e, quando resistimos a tudo, o Universo não desenvolve seu fluxo natural. A proteção energética não é nada mais que egoísmo. "Eu sei mais que o próprio fluxo da vida..."

Quando repouso em mim mesmo, respiro bem, vivo bem, como bem, durmo bem, estou em uma boa situação na vida, talvez num bom relacionamento. Se tenho sucesso em meu trabalho e o corpo está forte e cheio de energia, nesses momentos, tenho mais facilidade em aceitar o que for.

Se, por algum motivo, no entanto, não for assim, tenho dificuldades em dizer "sim" sem restrições. Se uma situação durante o tratamento me faz lembrar de algo na minha própria vida ou de algum momento traumático em minha história, tenho dificuldades em não me identificar. O primeiro passo é, portanto, desapegar-se de todos os julgamentos e valores envolvidos em uma situação, bem como da doença do cliente, por mais grave que seja. Doenças e sofrimentos não são ruins nem evitáveis. Tudo sob esse Céu tem sua razão de ser.

É importante, por isso, ficar no próprio centro. Segundo minha experiência, isso é mais fácil com exercícios de respiração e de meditação. Algumas sugestões foram dadas no Capítulo 6.

Uma proteção energética provoca medo e o medo não tem lugar no Reiki. Se carrego uma arma no bolso, preciso me certificar diversas vezes se ela ainda está lá, se está carregada, se está travada e se, em caso de emergência, conseguirei pegá-la rapidamente. Desse modo, só aumento o medo com mais medo. Por isso, entro em cada tratamento "desarmado" e saio dos tratamentos da mesma forma.

Se você está preocupado com algum medo na sua vida, isso também não é provocado pelo Reiki. Medo é natural e, dependendo da situação, é adequado e útil. Com o *Sei Heki Chiryo* (ver p. 146), você pode se libertar de medos inadequados.

Do ponto de vista prático, isso significa que você ama seu cliente como ele é, por pior que seja sua doença ou situação de vida. Significa também que você ama sua doença e seu sofrimento! Só assim a cura é possível. Tudo com o que você está em conflito exerce poder sobre você. Tudo o que você aceita lhe dá liberdade...

Por isso, não se cobre e fique despreocupado: a prática leva à perfeição – mas nem queremos ser perfeitos. Aja sempre como um aprendiz. Deixe a prática do Reiki se tornar uma parte de sua rotina diária e aprenda a se desligar do tratamento. O corpo do cliente decide sobre o procedimento e a duração do tratamento, bem como sobre o número de sessões.

Só existe uma diferença: uma pessoa tem Reiki ou ainda não tem. Todo o resto depende do trabalho interior do praticante. Se, por exemplo, uma pessoa tem *Shoden* – o primeiro grau –, pratica o Reiki diariamente por anos, aprende a respeitar o *Byosen* e presencia a cura dos seus clientes com alegria, possivelmente terá mais energia, mais experiência do que um mestre de Reiki conhecido, que leciona o Reiki, mas quase não tem experiência prática.

Todos nós somos aprendizes e entendemos como preservar, no Reiki, essa alma de aprendiz, com leveza. Cada corpo deseja um tratamento específico, cada Byosen é individual e, portanto, novo e sempre interessante.

Byosen

O *Byosen* é o processo de cura no corpo do cliente que o aluno de Reiki aprende a observar para se deixar guiar por ele, pelo tratamento ou pela série de sessões.

O *Byosen* é o principal aspecto prático do trabalho de Reiki. Se o praticante de Reiki (ainda) não estiver familiarizado com ele, estará atirando no escuro e não conseguirá avaliar de forma eficiente o processo de cura do cliente.

Uma descrição extensa do *Byosen* consta em *Isto é Reiki* (página 192 e ss) e no livro de Tadao Yamaguchi, *Jikiden Reiki*. Recomendamos que busque a ajuda de um mestre de Reiki ou de um praticante experiente em seu aprendizado. A energia que vem das mãos é igual em todos, mas a experiência no tratamento mostra-se na busca segura e rápida do *Byosen*.

A palavra *Byosen* foi cunhada por Usui Sensei . É, portanto, um termo específico de Reiki e não consta no dicionário. Com ajuda dos dois *kanjis*, todavia, qualquer japonês, mesmo que não pratique Reiki, terá uma vaga ideia do que estamos falando. A tradução é basicamente "acúmulo de toxinas". Não somente a palavra, mas também o princípio do *Byosen* foi cunhado por Usui Sensei. Ele provavelmente foi dotado de uma percepção extraordinário para identificar esse processo sutil.

De modo teórico, o *Byosen* não é difícil de ser compreendido, mas, graças à sua complexidade, é um processo para a eternidade. Agora, só não diga "não chegarei nessa idade" e não desista antes de começar com o trabalho! Ao contrário: aprender a arte do *Byosen* é uma aventura maravilhosa. O processo de cura é individual e diferente em cada corpo, assim, o trabalho do Reiki nunca é entediante. Sempre que estiver tentado a pensar que, enfim, está entendendo tudo, será surpreendido por um "novo" *Byosen*.

Uma vez que o *Byosen* se manifesta em uma onda de 10 a 20 minutos é necessário manter a mão por muito tempo na mesma posição (no mínimo, de 40 a 60 minutos) para poder perceber esse movimento. Durante toda a série de sessões, que, no caso de doenças graves, pode demorar vários meses, observa-se a intensidade do *Byosen* podendo-se, assim, avaliar o processo de cura do cliente. Haverá mais sobre esse tema em um próximo livro.

Percepção e intuição refinadas

Cada tratamento não é apenas um treinamento da percepção, mas também da intuição. Certamente, toda pessoa é intuitiva. A única diferença entre pessoas intuitivas e as que acreditam não ser é que a primeira segue sua intuição, a segunda não. O primeiro passo é ouvir a voz interior, seguir a sabedoria interna e não buscar sempre o conselho das pessoas "mais inteligentes". No seu interior, você, e somente você, sabe o que é bom e correto. A verdade é sempre subjetiva.

Treinar a intuição é um caminho para criar mais qualidade de vida. Uma intuição aguçada começa com o aumento da atenção plena. Se você oferece ao seu cliente toda a atenção disponível, percebe, de repente, mudanças sutis na expressão facial ou na linguagem do corpo do cliente, que podem dar indicações sobre fatos em sua vida, dos quais você não sabe nada. Em seu interior, pergunte ao cliente do que ele precisa, o que lhe falta e como você pode ajudá-lo. As respostas surgirão.

Uma das técnicas mais importantes na *Usui Reiki Ryoho Gakkai* é a denominada técnica *Reiji-Ho* (detalhada em *Isto é Reiki*, na página 206 ss), que ajuda você a dar mais espaço ao seu conselheiro interior. Para um tratamento eficiente, no entanto, no início, não precisamos de intuição.

Por meio do Reiki, você aprende a observar com toda sua atenção a percepção em suas mãos e em seus sentidos. Uma vez que usamos, em primeiro lugar, as mãos para o nosso tratamento, começamos a treinar a percepção nas mãos. É muito fácil: onde você foca sua atenção, tudo é percebido com maior clareza. Quando lhe sugiro sentir o dedinho do pé esquerdo, ele, de repente, se torna muito presente. Você sente o sangue circular por ele, registra seu formato e fica feliz em tê-lo! Ele já estava ali há alguns minutos, você simplesmente passou a observá-

-lo. A percepção das suas mãos no corpo de um cliente é semelhante. Se focar sua atenção, você sentirá coisas que até o momento não sentia. No Reiki, isso que você sente chama-se *Byosen*.

A nossa percepção passa por todos os sentidos. Você ouve, vê, cheira, degusta e reconhece o *Byosen* intuitivamente tão logo preste atenção. Com o trabalho de Reiki, sua intuição aumenta tanto que você nem pode acreditar. Mesmo uma pessoa racional aprende a ouvir sua intuição durante a prática. É possível que, após um período de prática, desenvolvam-se capacidades paranormais ou *siddhis*. Quando essas puderem ser utilizadas em favor do trabalho com o ser humano, para ajudar, elas são bem-vindas, mas não tentemos desenvolvê-las por motivos opostos. Por mais sedutores que possam ser, os *siddhis*, muitas vezes, funcionam como excelentes manobras de desconcentração para alguém cujo coração ainda não está purificado da ganância. Além disso, muitas vezes, só estarão disponíveis por um determinado período antes de desaparecerem.

Sei Heki Chiryo

O *Sei Heki Chiryo* é lecionado no *Jikiden Reiki* como uma técnica especial para o tratamento de hábitos não desejados. Em outras linhagens de Reiki, há algo semelhante sob o conceito "técnica de cura mental". Quando falo de *Sei Heki Chiryo*, sempre me refiro à aplicação tradicional japonesa.

A palavra Sei significa "gênero", "sexo" ou "natureza" (de um ser humano).

A palavra *Heki* significa "hábito (geralmente ruim)".

A palavra *Chiryo* significa "tratamento".

Tudo junto significa: "o tratamento de hábitos indesejados".

No *Sei Heki Chiryo*, trata-se de um padrão que se aninhou na "placa-mãe", na matriz da alma. Como um ser humano, no entanto, não tem a dádiva de poder ver todas as vidas anteriores e a bondade maior de outro ser humano, a cura aqui é entregue a uma instância superior, o *Senju Kannon* (*Bodhisattva* de mil braços para o amor e a compaixão). Você aprenderá mais sobre esse assunto em um curso de *Jikiden Reiki*.

Antes do início do tratamento com o *Sei Heki Chiryo*, o cliente aprende os princípios de vida do Reiki e se prepara, assim, para a cura do plano psicoemocional, com ajuda de sua própria responsabilidade.

Independentemente de o problema ser psíquico ou físico, a cooperação do cliente não é extremamente necessária, mas é sempre uma ajuda. Se um cliente coopera de modo ativo na sua própria cura e muda sua vida de maneira positiva, a chance de cura aumenta em muito e sua qualidade de vida melhora de modo considerável.

Enkaku Reiki – tratamento à distância

No xintoísmo, o sacerdote reza com a ajuda de um ritual pela saúde dos membros da comunidade. Ele recorta pequenas figuras no papel-arroz representando uma pessoa em um quimono feminino ou uma pessoa em um quimono masculino. Nessas figuras, escreve a data de nascimento, nome e o sobrenome do destinatário. Depois as coloca em um recipiente de cedro e invoca as almas das pessoas a serem curadas por meio de um *Kotodama* de 10 minutos (ver p. 130), ou seja, a forma de pensamento daqueles a serem curados.

Depois realiza um ritual com um bastão de madeira (em japonês *Gohei*) que se parece com uma vassoura com pedaços de papel fixados a ela. Depois de realizada a cura à distância, que só pode ser feita por sacerdotes xintoístas iniciados, as almas dos destinatários são novamente enviadas para casa e, em seguida, as figuras de papel são queimadas em outro ritual.

A partir desse ritual, Usui Sensei desenvolveu o *Enkaku Chiryo* para tratar uma pessoa fisicamente não presente. A palavra *Enkaku* significa "afastado" ou "ausente", a palavra *Chiryo*, "tratamento".

Tudo junto significa: "o tratamento de uma pessoa fisicamente ausente".

Durante esse tratamento, ao contrário da teoria muito difundida, o Reiki não é "enviado" de A para B, mas a forma de pensamento do receptor é trazida por meio de um *Jumon* que pode ser aprendido em poucos minutos pelo praticante de Reiki, o qual trata a pessoa, em questão, aqui e agora. Durante o *Enkaku Chiryo,* trabalha-se com o *Byosen* da mesma maneira como em um tratamento no corpo físico.

Como já vimos, a palavra japonesa *Jumon* significa "fórmula mágica", "mantra" ou "palavra mágica". Não sei explicar por que essa fórmula tem a força de trazer uma pessoa, que está em outro local, para onde você está.

Nos meus cursos, sempre surge a pergunta sobre podermos fazer *Enkaku Reiki* a outras pessoas sem o seu conhecimento. Para nós ocidentais, a "liberdade pessoal" é o maior bem. Para japoneses, para os quais o ego é a única coisa que não existe, essa pergunta não se aplica. O coletivo sempre tem mais peso que o individual. Se, por exemplo, um pai de família bate em seus filhos, ele receberá Reiki a distância, querendo ou não. O bem da família, nesse caso, é mais importante do que a manutenção de sua violência.

Em princípio, recomenda-se não apenas ter a autorização, mas a participação ativa do destinatário.

Vamos considerar o Reiki à distância sob os mesmos aspectos de um tratamento no corpo físico. Se você sugere um tratamento a alguém e ele o recusa, você não tirará uma garrafa de clorofórmio da bolsa e aplicará uma anestesia, só porque você acha que o tratamento será bom para a pessoa. Se alguém não quer receber tratamento, a princípio, deve-se desistir de desperdiçar tempo e energia. Há milhões de pessoas no mundo que ficarão felizes em recebê-lo.

Outra pergunta frequente é se situações, projetos pessoais e afins podem ser tratados com Reiki à distância. Tradicionalmente o Reiki é direcionado para o processo de cura no corpo do cliente e a pessoa que o aplica deixa-se conduzir pelo corpo do cliente, pelo respectivo tratamento. Na época de Usui Sensei, portanto, não se aplicava Reiki à distância às situações.

Após um dos mais graves terremotos da história do Japão, em setembro de 1923, Usui Sensei tratou, com oito dos seus alunos mais antigos, centenas de milhares de clientes, diariamente, por um período de sete meses. Nós, todavia, facilitamos a nossa vida "enviando" Reiki para as áreas de crise. Se você tiver realmente o desejo de ajudar em uma região de crise, viaje até lá e aplique Reiki pessoalmente nas pessoas atingidas.

Em relação aos seus projetos pessoais, faz pouco sentido, do ponto de vista japonês, aplicar a eles Reiki à distância. Você é a sua vida, os seus projetos, as suas dificuldades. Aplique Reiki, portanto, em você e tire as dificuldades do caminho. Tudo o que está em seu passado ou em seu futuro será tratado com Reiki no presente. Para aspectos relacionados ao desenvolvimento da sua personalidade, trate sua mente, sua cabeça. Para aspectos relacionados aos seus talentos ou sua expressão artística, trate seu plexo solar.

靈
衣

Rei-i – *roupagem espiritual*

9
Ensinar e Aprender Reiki

A maneira tradicional japonesa de ensinar uma arte é transmitir o que foi aprendido pelo professor – pressupondo-se que tenhamos sua autorização – exatamente como aprendemos. Em todas as artes japonesas, a autorização do ensino, de alguma forma, é sempre restrita. Em relação à estrutura do Reiki, Usui Sensei orientou-se pelas artes marciais japonesas, portanto, seu sistema estava estruturado da seguinte forma:

1. *Shoden, sho-* "principiante", *den-* "ensino"
2. *Okuden, oku-* "no meio, aprofundamento de algo"
3. *Shinpiden, shinpi-* "místico"

Shoden e *Okuden* eram os graus de alunos que só foram subdivididos devido ao amor pela estruturação hierárquica. O aluno tinha a responsabilidade de aprender e aplicar o que havia aprendido. Koyama Sensei relata que Usui Sensei subiu o *Kurama*, em 1922, para morrer e renascer, como um caminho para a iluminação. Se nós, praticantes, fizermos Reiki com a mesma dedicação, teremos bons resultados. Caso contrário... não acontecerá nada.

Shinpiden, ou o grau de professor, que é, por sua vez, dividido em várias etapas, só foi concedido a poucos alunos. O termo *"Shinpiden"* era usado com cuidado, uma vez que desperta associações religiosas. Em vez de utilizar a descrição do grau, hoje se utiliza o título daquele que alcançou o grau: *Shihan Kaku* (professor assistente), *Shihan* (professor) ou *Dai Shihan* (Grande Mestre).

No período dos fundadores, não havia, inicialmente, cursos abertos para formação de professores, como hoje em dia. Usui Sensei era o único professor e todo momento que se podia passar com ele era considerado precioso. Ele era um homem carismático e, como no Japão o Sensei não podia ser tocado, seus alunos tocavam seu quimono para compartilhar um pouco de sua energia. Usui Sensei não era apenas um professor de Reiki, mas era visto como um mestre iluminado. Em sua presença, seus alunos aprendiam de forma lúdica, sem esforço.

Em setembro de 1923, ele deu a oito de seus melhores alunos a autorização para dar *Reiju* a outros. Mais tarde, seguiu-se, também, esse princípio de seleção pessoal: o professor –Usui Sensei, seus sucessores ou, mais tarde, Hayashi Sensei – escolhia um aluno adequado e lhe sugeria fazer a formação como professor.

O escolhido era inicialmente chamado de *Shihan Kaku* ou professor assistente que, a partir daí, podia lecionar *Roku-o, Go-to e Yon-to*, portanto, *Shoden* por um tempo (ver p. 37). Depois que o Shihan Kaku adquirisse experiência suficiente, tivesse trabalhado com um dos *Shihan* mais velhos e aplicado o *Reiju* sob a orientação de Usui Sensei, podia, possivelmente, progredir para *Shihan*. Nesse sentido, membros da organização de Usui Sensei ou de Hayashi Sensei tinham preferência. O *Shihan* podia lecionar *Shoden* e *Okuden*. O professor, todavia, tinha que estar, no mínimo, dois graus acima do grau que ele mesmo podia ensinar.

Alguns poucos, vinte para ser exato, foram nomeados *Dai Shihan* (Grande Mestre) por Usui Sensei em 16 de janeiro de 1926, seis semanas antes do seu falecimento e, ao mesmo tempo, nomeados membros da diretoria do *Usui Reiki Ryoho Gakkai*. Esses vinte podiam formar oficialmente *Shihan Kakus*. A formação de outro *Shihan* é geralmente reservada ao presidente da sociedade.

Reiki japonês tradicional e as linhagens criadas depois de Takata Sensei

Essas são as informações sobre a tradição. Todos nós sabemos que, atualmente, existem inúmeros sistemas diferentes para o ensino do Reiki.

Os japoneses distinguem-se claramente das pessoas do Ocidente, uma vez que se orientam em todos os pensamentos, sentimentos e ações para o bem-estar do grupo – ao "nós" coletivo. Ao contrário, nós, ocidentais, somos mais focados no indivíduo – no "eu". Para ser justo, temos que dizer, no entanto, que hoje também já existem pessoas com atitudes egoístas no Japão, e isso equivale ao Reiki também!

Devido a esse egoísmo, as pessoas querem se exibir, mostrar como são maravilhosas, acham que sabem tudo de uma maneira melhor – até melhor que o próprio criador do Reiki, Usui Sensei. Observo esse desenvolvimento do Reiki com alegria e tristeza e também, ao mesmo tempo, com uma boa porção de humor. Quem acredita que pode ou precisa melhorar a energia da alma do Reiki, aparentemente, não entendeu o básico.

Existe um outro lado, entretanto, que precisamos elucidar. Quando um professor de Reiki quer divulgar seus ensinamentos, ele precisa dar um nome ao seu método. Ele é solicitado a mostrar o que distingue seu método dos demais. Se tudo isso ocorrer em prol do interesse do aluno, quando o próprio professor tiver passado por uma transformação e quiser transmiti-la aos seus alunos, seu novo método será uma dádiva para a humanidade. Mas, se o professor estiver particularmente interessado em divulgar seu nome, em ter muitas namoradas ou uma conta bancária rechonchuda – não precisaremos dele.

O professor de Reiki, hoje em dia, é muitas vezes uma pessoa que só vemos uma ou duas vezes na vida. Desse modo, não se desenvolve uma relação séria entre ele e o aluno. Uma vez que há inúmeros professores de Reiki no mundo, e a internet nos dá a possibilidade de encontrar esses professores em segundos, fica fácil e aparentemente sedutor trocar o professor. Há muitos bons motivos para isso. Algumas escolas, por exemplo, afirmam, com razões pouco convincentes, que temos de ficar sempre com o mesmo professor. O motivo para essa filosofia é, muitas vezes, um abuso financeiro ou de poder. Imagine que alguém obrigasse você a abastecer sempre em um ou outro posto de gasolina a partir de agora?

Assim, alguns professores também afirmam que o *Reiju B* elimina o *Reiju A*. Isso para mim é incompreensível. Todas as experiências que você fez em sua vida, tanto as "boas" como as "ruins", são sua riqueza interior, sua bênção.

Dentre as escolas principais, como, por exemplo, de *Jikiden Reiki*, cuja tradição eu leciono, recomendamos aos nossos alunos aprenderem com diferentes professores para terem um acesso o mais amplo possível ao Reiki.

Nós não agimos separadamente, mas trabalhamos em conjunto.

O Reiki tradicional japonês e o Reiki que chegou ao mundo pelos EUA têm, em comum, a energia que flui das mãos – desde que os alunos estejam devidamente iniciados. Infelizmente, hoje, isso já não é mais tão óbvio, uma vez que aumentam cada vez mais iniciações pela internet e o ensino de rituais próprios de iniciação, que são inventados.

Na prática, no entanto, existem diferenças. Nas escolas ocidentais, o Reiki é, muitas vezes, misturado com conceitos de *new age*, técnicas, exercícios e filosofias de outras culturas. No seu contexto, essas são certamente boas e úteis, mas não têm nada ou muito pouco a ver com Reiki.

Quando tomei uma xícara de chá com a abadessa do templo Kurama, ela me explicou essa situação, há alguns anos, com a ajuda da seguinte metáfora: "Estamos tomando chá", ela disse, "se você agora quiser um copo de suco, não colocará o suco junto com o chá na xícara. A xícara precisa primeiramente ser lavada, depois poderá aproveitar seu suco. O mais importante é a limpeza (espiritual)".

O Reiki tradicional japonês destaca-se pela sua clareza, simplicidade e seu foco na transformação pessoal e cura em todos os planos. No exercício da prática, o aluno aprende a observar o processo de cura do seu cliente e a se deixar conduzir por ele, pelo tratamento ou pela série de tratamentos. Todo o resto acontece sozinho. O praticante com formação tradicional, ao aplicar Reiki, renuncia a si mesmo e deixa a energia fluir livremente, sem se concentrar ou sem qualquer intenção. O Reiki e o corpo do cliente fazem o resto.

O papel do professor

Em princípio, não tem importância quem é o professor. O mais importante é ele ter interiorizado o ensinamento. Se ainda não fez seu próprio trabalho interior, não poderá lhe ensinar nada. Usui Sensei denominou o Reiki de *"Shoufuku no hihoo, manbyo no reiyaku"* – a arte secreta de convidar à felicidade, o remédio espiritual para todas as doenças. Se o trabalho do professor ainda não trouxe resultados em seu interior, ele, na verdade, ainda não está pronto para lecionar. Ainda que o ensino seja transpessoal e a personalidade de um professor não tenha importância direta para esse trabalho, recomendo, mesmo assim, que procure um em quem você confia e consiga se entregar de todo coração.

A linhagem e nossos antigos professores – Mikao Usui, Chujiro Hayashi, Hawayo Takata e Chiyoko Yamaguchi

– assim como o ensinamento que incorporaram são suas redes de seguranças. Protegem você contra sua própria cegueira, sua própria ignorância. Na cultura japonesa, o professor que se destaca é aquele que consegue adentrar o seu ser por meio do seu ensino. Professor e ensinamento são uma unidade e, por meio deles, você também vive essa unidade.

Respeito

A primeira coisa que um estrangeiro aprende no Japão é a base da sociedade japonesa: respeito. Todo aluno chama seu professor de *Sensei*, por amor e respeito. *Sensei* é um título conferido ao professor pelos seus alunos: ele mesmo não se chamará de *Sensei* nem anotará o título em seu cartão de visita. Literalmente, a palavra *Sensei* significa o "primogênito" ou "quem vai na frente na vida". Pode ser comparada à palavra *Seito*, que significa aluno. O aluno é o "que nasceu segundo", aquele que "anda atrás na vida".

Ao falarmos de hierarquia, no Reiki, fazemos isso com a consciência de que todas as pessoas têm o mesmo valor tanto em sua humanidade quanto em sua divindade.

A relação entre aluno e professor não é de igualdade. Ambos precisam desse desequilíbrio natural para que o ensino possa fluir do professor para o aluno. O aluno japonês de Reiki não olha nos olhos do professor. Ele também não faz perguntas durante a aula, pois isso indicaria indiretamente que o professor não exerceu sua tarefa com perfeição. Se eu retiro esses elementos de seu contexto cultural, obviamente não fazem sentido algum. O respeito precisa se alinhar à cultura na qual é aplicado. No Ocidente, vivemos conforme diferentes formas de comportamento, mas seria bom se deixássemos fluir em nossa vida, uma boa porção de respeito vindo do Japão.

Um bom professor de Reiki incorpora o ensinamento do Reiki e tanto o ensinamento quanto o professor, ambos são respeitados pelo aluno. O respeito ao ensinamento mostra-se pelo fato de que esse não é alterado pelo professor. O respeito ao professor expressa-se na gratidão.

O que aprendemos em um seminário de Reiki?

Devido à enorme gama de escolas de Reiki geradas nos últimos anos, fica difícil responder a essa pergunta. No Reiki, não há conteúdos de ensino obrigatórios. Por um lado, isso é bom e dá a cada professor a liberdade de ensinar o que considera importante. Por outro lado, é triste observar o que hoje em dia é lecionado como Reiki, o que, infelizmente, muitas vezes não faz jus ao nome.

A UNIÃO COM O REIKI

Seria lindo se a família Reiki pudesse ter critérios de formação claramente definidos, internacionalmente obrigatórios. Nos países de língua alemã, já existem negociações a respeito da associação profissional do Reiki *ProReiki*. Depois de lecionar em um curso tudo que é obrigatório, ainda há tempo suficiente para seguir a própria paixão e ensinar elementos adicionais de outras disciplinas, se isso trouxer alguma vantagem para o respectivo aluno ou os alunos.

A maioria dos professores leciona um curso de *Shoden* em um fim de semana, outros, como eu, por exemplo, precisam de três dias inteiros para isso.

O mais importante no curso de *Shoden*/Reiki I é:

1. Três ou quatro *Reiju*.
2. Os princípios de vida do Reiki.
3. A história do Reiki (extensamente descrita em *Isto é Reiki*).
4. Instrução prática para o autotratamento.
5. Tratamento de outra pessoa por uma hora.
6. Tratamento em grupo, no mínimo uma hora por dia.
7. *Byosen*.

Okuden é lecionado em um ou dois dias. Eu preciso de dois dias inteiros.

O principal no curso de *Okuden*/Reiki II é:
1. Um ou dois *Reiju*.
2. Explicação dos símbolos de Reiki, sua origem e forma de trabalho.
3. *Sei Heki Chiryo* (tratamento de hábitos indesejados) com exercício prático entre pares.
4. *Enkaku Chiryo* (tratamento à distância) com exercício prático entre pares.
5. Tratamento em grupo, no mínimo, uma hora por dia.

Uma formação de professor talvez só demore um dia com alguns professores. No *Jikiden Reiki*, ela dura, no mínimo, um ano e é necessário cumprir determinadas condições antes de um professor em potencial receber autorização para lecionar.

O principal no curso de professor para *Shihan Kaku/Shihan* consiste em:
1. Vários *Reiju*.
2. Aprendizado do ritual de *Reiju* e exercício conjunto.

3. Nova discussão do currículo.
4. Depois, assistir a um professor experiente.

Responsabilidade – de quem recebe, do praticante, do aluno e do professor

A prática do Reiki nos ajuda a tomar nas mãos nossa vida, nossa saúde bem como nosso processo interno de crescimento.

A responsabilidade de quem recebe Reiki

A responsabilidade de quem recebe Reiki é a de que ele tem a opção de determinar a forma de seu tratamento. Independentemente de optar pela medicina clássica, quimioterapia, medicina chinesa, acupuntura, ayurveda ou por uma mistura de diversas ou todas as formas de tratamento, ele tem um suporte ao ser tratado com Reiki. Uma enfermidade grave exige tratamentos diários, às vezes, por um período mais longo. O tempo mínimo é, muitas vezes, mas nem sempre, de um mês. Se isso estiver de acordo com a opinião do médico responsável, o cliente precisa dedicar esse tempo para sua cura. Será estimulado a se adaptar ou alterar sua vida, mas isso fica totalmente a seu critério. O praticante de Reiki pode ajudar ao máximo, mas sem regras estabelecidas.

A responsabilidade do praticante de Reiki

A responsabilidade do praticante de Reiki é a de que tenha um coração aberto. Não tenha medo nem julgue a enfermidade e, durante o tratamento, a série de tratamentos, deixe-se conduzir pelo corpo de seu cliente. Que tenha consciência de que não é ele, mas sim o próprio corpo que se cura. Que tenha tempo suficiente e perseverança para tratar uma pessoa muito doente, diariamente ou por um período mais longo ou, então, trabalhe em conjunto com outros praticantes.

Uma boa opção para tratar uma pessoa muito doente é fundar um grupo de apoio que divida o trabalho. O Facebook e outras mídias sociais têm um papel maravilhoso aqui. Muitas vezes, é permitido falar com o cliente sobre tudo, mas evitar falar sobre a doença. O doente, muitas vezes, fala com todos sobre um único tema, o que torna a doença ainda pior. Em vez disso, o praticante de Reiki encoraja o cliente, sem fazer promessas.

Se lhe perguntarem se o Reiki ajuda alguém, você pode confirmar isso com propriedade. Não saberemos como será o efeito sobre o corpo físico, antes do início do tratamento. Depois de aproximadamente um mês de tratamento, podemos ver os prognósticos. O praticante também disponibiliza ao cliente visualizações que curam. O subconsciente trabalha e cura com imagens positivas. Além disso, é importante ajudar o cliente a criar planos para o futuro condizentes com sua situação física. Uma pessoa doente, que ainda tenha planos para a vida, vive geralmente mais do que uma que já desistiu de viver. Se, no entanto, tiver desistido de viver, isso deverá ser aceito pelo praticante. O praticante de Reiki trabalha com amor e dedicação, independentemente de quem ou do que esteja tratando. No final, é o amor que faz a diferença.

A responsabilidade do aluno de Reiki

A responsabilidade de um aluno de Reiki é aprender a lidar de maneira adequada consigo e com o Reiki. Hayashi Sensei descreve, em seu artigo no jornal *Hawaii Hochi*, que o Reiki representa, em primeiro lugar, o trabalho da personalidade. Explica que Usui Sensei era considerado um mestre iluminado e que ele, Hayashi, aprendera com o exemplo imaculado de seu professor.

Chiyoko Sensei explicou, diversas vezes, que a maneira mais saudável de aprender Reiki seria um processo de aprendizado ao ter passado da condição de uma pessoa doente para uma pessoa curada. "Primeiro, você não está bem e encontra alguém que trata você com Reiki. Durante a série de tratamentos, você melhora cada vez mais até ficar bem. Depois, você mesmo quer aprender Reiki. Uma pessoa que passou por esse processo, aplicará Reiki com alegria e humildade durante toda sua vida para ajudar os outros."

Agora, o primeiro passo foi dado e o corpo está em sintonia. Começa o trabalho interior e, assim que estiver concluído, possivelmente, surgirá o desejo de apresentar o Reiki a outras pessoas. Desse modo, começa a formação dos professores e com esse passo muda a responsabilidade do aluno. Ele agora é responsável pelos seus alunos e, em última instância, pelos alunos desses. Isso, no entanto, não significa que ele assume um papel de pai ou Guru.

A responsabilidade do professor de Reiki

Ser ou tornar-se um professor de Reiki não é um trabalho para qualquer um. O caminho espiritual é um caminho cheio de pedras, por vias aparentemente intransponíveis, por desertos, longos períodos de escassez, frustração e dor. Imagine se você tivesse de reinstalar toda a parte elétrica em sua casa. Primeiro é necessário descobrir onde estão os cabos antigos e, depois, eles precisam ser retirados da parede com muito esforço. É necessário tirar o reboco, isso é doloroso. Mais tarde, depois que os novos cabos estiverem instalados, é necessário adaptar-se ao novo.

Ser professor significa, em primeiro lugar, que ele viva os Cinco Princípios do Reiki e incorpore o ensinamento do Reiki da melhor forma possível na rotina diária. Isso, por sua vez, tem a consequência de que, possivelmente, precise fazer mudanças importantes em sua vida e suas atitudes, caso o trabalho interior não tenha sido realizado anteriormente. Essa tarefa envolve toda sua energia focada, à qual ele deverá se dedicar de coração e mente, 24 horas por dia. Se não estiver preparado ou em condições para tal, melhor seria procurar outro trabalho.

Isso significa, em poucas palavras, que o professor se desliga de seu pequeno ego e elimina todas as ações não éticas de sua vida. Significa que ele é implacavelmente sincero consigo mesmo e com os outros. Esse é um processo de aprendizado que, por certo, nos ocupará uma vida inteira. No começo, voltamos facilmente aos padrões antigos, porém, com o passar do tempo, o novo prevalece no solo fértil da simplicidade, de maneira carinhosa, atenciosa e com compaixão.

O professor responde a todas as perguntas da melhor maneira possível ou, se preciso for, assume que não sabe. Ele não é hipócrita, não mente e não finge saber. Não exige nada de você que ele não esteja disposto a fazer. Não projeta nada em seus alunos ou em si e considera a vida em todas as suas facetas com humor e distanciamento. Faz você (e a si mesmo) rir ou também chorar. Eventuais reveses são companhias bem-vindas que proporcionam ao professor a energia para continuar trabalhando em si. O caminho é a meta.

Ele o inspira pela sua autenticidade e lhe dá coragem de ser você mesmo em qualquer situação na vida. Leva você cuidadosamente aos seus limites e além deles. Ele ajuda você a aprender a assumir sua responsabilidade ao espelhar repetidamente seu comportamento. Desse modo, ele o fortalece para retirar suas máscaras e para colocá-lo na luz de seu próprio holofote. Ele não o manipula nem física, nem mental, nem emocional, nem sexual ou espiritualmente e lhe mostra de que modo você filtra todos os seus pensamentos, sentimentos e suas ações pela sabedoria do seu próprio coração. Ele não é seu pai nem sua mãe, nem seu deus e nem seu Guru, e sabe que velhas questões têm de ser resolvidas onde e com quem as criou.

Ele nunca se coloca acima de você e não se aproveita de situações ou outras pessoas para afirmar sua superioridade. Ele sempre dá tudo, da melhor forma possível.

Ele é absolutamente íntegro e nunca compromete sua própria verdade, nem mesmo se isso lhe trouxer vantagens. Não faz nada que possa ser pouco ético, imoral e egoísta e, se ele fizer algo do qual se arrependa, também o confessa. Preserva sua introspecção e permite dúvidas que lhe ocorrem de maneira natural, aqui e ali, analisando-as com a maior profundidade possível. Ele é humano ao aceitar suas fraquezas humanas. Se ele, em algum momento, não conseguir lidar consigo ou se estiver confuso, pede conselho e ajuda a outras pessoas experientes.

O professor de Reiki também tem seus limites e há momentos nos quais ele pensa em desistir. Talvez a "dor do mundo"* seja a melhor explicação para esse sentimento. Mas, nesse caso, ele fará como o fundador do Zen-budismo, *Bodhidharma*, que afirma: "Levam-se oito tombos, levanta-se nove vezes".

O professor assume a responsabilidade por seus alunos, pelos alunos desses e pelo ensino. Isso não significa que vá dizer "sim" e "amém" para todas as coisas e, caso a situação exija, falará um claro "não".

Se um professor tiver um conflito com um aluno ou vice-versa, é sempre aconselhável discutir os pontos de conflito o mais rápido possível, antes de surgir rancores. Se o professor e os alunos vierem de culturas diferentes

---

* Traduzido do alemão, "Weltschmerz" é um termo usado pelo alemão Jean Paul Richter e denota o tipo de sentimento experimentado por alguém que entende que a realidade física nunca poderá satisfazer as exigências da mente – cf. *Wikipedia*. (N.T.)

e se um dos dois atuar de maneira aparentemente irracional ou mal-educada, o problema é, muitas vezes, uma diferença cultural.

Quando o aluno não aprende, é tarefa do professor modificar seu método.

Em suma, o professor tira do aluno o que não lhe pertence e devolve a ele o que sempre lhe pertenceu: você é Reiki.

Aplicar o Reiki diariamente é uma obrigação não apenas do aluno, mas também do professor de Reiki. Chiyoko Sensei perguntava para aqueles que já haviam sido iniciados em outras linhagens se estavam fazendo tratamentos. Ao esclarecerem que, como professores, não tinham tempo para aplicarem Reiki, ela lhes perguntava diretamente: "Se você não tem experiência no tratamento, por Deus, o que você ensina, então?" Cada *Byosen* tem uma caligrafia pessoal e, em cada tratamento, o professor aprende algo novo que ele pode, posteriormente, ensinar aos seus alunos.

Nen – Intenção, Consciência

Epílogo

A mensagem espiritual do Reiki é o convite de Usui Sensei a todo praticante de Reiki para, finalmente, voltar para casa. Essa mensagem é a mesma em toda escola espiritual: nós nos perdemos, estamos separados do que nos sustenta e, finalmente, queremos retornar ao nosso estado natural. A situação não é, contudo, tão desesperadora como parece: você precisa, primeiro, ter-se perdido, para depois poder retornar para casa.

Na era da informação, nós nos perdemos na confusão dos dados aparentemente essenciais para a sobrevivência. Por isso, não viva sua vida assim, de modo tão tenso: reserve um tempo para você, sua família – especialmente enquanto os filhos estão pequenos – e cultive seu amor e seu "recipiente": seu coração.

Lembre-se sempre: você é Reiki – suas mãos, seu coração e sua razão, seus sucessos bem como as exigências que ainda não tenha conseguido cumprir. Confie em você, confie na vida, consciente de que o que quer que você faça, algo superior lhe carrega nos braços, assim como uma mãe ao seu filho. Você e a sua vida são uma unidade, tudo é exatamente como deveria ser.

Livros Recomendados

Dürckheim, Karlfried Graf. *Hara, die energetische Mitte des Menschen.* Barth, Munique, 2012. [*Hara, o Centro Vital do Homen*, publicado pela Editora Pensamento, São Paulo, 1991. (fora de catálogo)

Emoto, Masaru. *Die Botschaft des Wassers.* Tradução do inglês de Urs Thoenen. KOHA, Burgrain, 2008.

Petter, Frank Arjava. *Das ist Reiki.* Windpferd, Aitrang, 2009. [*Isto é Reiki*, publicado pela Editora Pensamento, 2013.

Sawaki, Kodo. *Zen ist die größte Lüge aller Zeiten.* Traduzido do japonês por Muho Nölke. Angkor, Frankfurt/Meno, 2005.

Suzuki, Shunryu. *Zen-Geist Anfänger-Geist.* Traduzido do inglês por Silvius Dornier e Pirmin Ragg, revisão de Susanne Schaup. Herder, Freiburg/Breisgau, 2009.

Suzuki, Shunryu. *Seid wie reine Seide und scharfer Stahl.* Traduzido do inglês por Stephan Schuhmacher. Lotos, Munique, 2003.

Usui, Mikao e Petter, Frank Arjava (org.). *Original Reiki-Handbuch des Dr. Mikao Usui*. Windpferd, Aitrang, 1999. [*Manual de Reiki do Dr. Mikao Usui*, publicado pela Editora Pensamento, São Paulo, 2001.

Yamaguchi, Tadao. *Jikiden Reiki*. Traduzido do inglês por Silke Kleemann. Windpferd, Aitrang, 2006.

Yamaguchi, Tadao e Petter, Frank Arjava. *Das Original Reiki-Hand- buch des Dr. Chujiro Hayashi*. Windpferd, Aitrang, 2003. [*A Técnica de Reiki do Dr. Hayashi*, publicado pela Editora Pensamento, São Paulo, 2005. (fora de catálogo)